EL SENO

Soto, Walter Guillermo
El seno, prevención y cura del cáncer de mama / coordinado por Tomás Lambré -
1a ed. - Buenos Aires : Del Nuevo Extremo, 2006.
192 p. ; 23x16 cm.

ISBN 987-1068-90-5

1. Enfermedades de la Mama. I. Lambré, Tomás, coord. II. Título
CDD 618.19

© 2005, Walter Guillermo Soto
© 2006, Editorial Del Nuevo Extremo S.A.

director editorial **Miguel Lambré**
diseño de tapa e interior **Estudio Ka - Gabriela Kogan / Romina Juejati**
foto de tapa **Julieta Gómez Bidondo**
imagen editorial **Marta Cánovas**
coordinación de edición **Tomás Lambré**
corrección **Andrea Braverman**
primera edición **mayo 2006**

ISBN-10: 987-1068-90-5
SBN-13: 978-987-1068-90-6

Derechos exclusivos de publicación y distribución
Editorial Del Nuevo Extremo S.A. Juncal 4651 C1425BAE Buenos Aires, Argentina
Tel / Fax: (54-11) 4773-3228 e-mail: editorial@delnuevoextremo.com / www.delnuevoextremo.com

Dr. Walter Guillermo Soto

EL SENO
prevención y cura
del cáncer de mama

DEL NUEVO EXTREMO

Prólogo de la primera edición

Pensar en escribir un libro es un verdadero desafío. Imaginarlo, ya es más complejo. Parirlo, un inmenso esfuerzo.

Luego de editar la *Guía para pacientes con cáncer de mama*, me lancé a este sueño.

Este libro fue pensado para la gente común y a ellos está dirigido.

Confío en que este material forme parte de un proyecto público y privado que le permita a la comunidad incrementar sus niveles de protección y prevención en salud.

Es imprescindible que transmita mi agradecimiento a todos los que me ayudaron. Sin ellos, la tarea habría sido más complicada. TODOS colaboraron sin esperar nada a cambio, con la sola convicción de estar haciendo algo valioso para el prójimo. Otros se perdieron la oportunidad.

Sería injusto si no recordara a aquellas personas que anónimamente me dieron una mano, una palabra de aliento, me acercaron ideas, críticas y de una u otra manera se involucraron con esta propuesta.

Tuve el inmenso apoyo de mi amiga Guadalupe Maroño que con su inmensa experiencia y sencillez nos facilitó la comprensión del conflicto personal y familiar que significa el diagnóstico de cáncer. Los doctores Julián Videla, Julio Ibarra y Jorge Bouquet aportaron sus conocimientos y claridad de conceptos. Agradezco la inestimable colaboración de las licenciadas Roxana Guida, María José Mackinon, Mariela Boffelli y Daniela Desimone.

Un gran reconocimiento a Gabriela Dánna, que compaginó todo el material e hizo maravillas con el diseño de tapa.

Las pacientes me condujeron por los senderos de la traumática experiencia de la enfermedad, y con infinita sabiduría me ayudaron a entender algunos misterios de la vida.

Finalmente, nada de esto hubiera sido posible sin la paciencia de mi familia, espectadores y partícipes de las alegrías y dificultades del camino recorrido.

A todos ellos mi más profundo agradecimiento.
Dr. Walter Guillermo Soto
Agosto de 2003

Prólogo de la segunda edición

Hace casi tres años logré interesar a un grupo de empresas para que financiaran *El libro de la mama*, y pudimos distribuirlo gratuitamente entre pacientes e instituciones.

Hoy, la Editorial del Nuevo Extremo cree que vale la pena reeditarlo.

He llegado con ellos a un arreglo económico: me pagarán las regalías de esta edición con libros para que podamos regalarlos a las bibliotecas, instituciones y a las personas que no puedan comprarlo en las librerías por razones económicas. Esto me hace muy feliz pues no pierdo la esencia del trabajo realizado: que llegue a la mayor cantidad de gente posible.

Algunas de las ideas que expresé en la edición anterior no se concretaron todavía: falta el compromiso formal y eficiente de parte del Estado y de las instituciones privadas para que toda la población tenga acceso a planes de prevención y tratamiento de la mejor calidad técnica y reglados por las sociedades científicas, falta la provisión en tiempo y forma de la medicación necesaria y brindar los soportes de todo tipo que esta enfermedad requiere. Insistiremos sobre ello hasta lograrlo.

Para largarme a esta aventura, fue esencial que pacientes y profesionales de la salud me alentaran a seguir escribiendo, que sintieran que esta obra les resultó de utilidad.

Obviamente hice modificaciones y agregados que surgen de la experiencia vivida y del conocimiento. Además de las colaboraciones mencionadas en el prólogo anterior, se agregaron otras como la del doctor Ariel Saracco, especialista en imágenes.

Sin embargo, los mejores aportes los hicieron las experiencias de vida de mis pacientes, como siempre.

En la edición anterior, por error no se incluyó a la autora de la foto de tapa: Julieta Gómez Bidondo, que desinteresadamente y ad honórem colaboró conmigo, sin conocerme y solamente por saber que el libro cumpliría un fin social.

Finalmente quiero agradecer a todos los que de una forma u otra estuvieron a mi lado, con críticas y aportes, muchas veces con infinita paciencia, tolerando mis errores y ansiedades, fruto de mi pasión por esta profesión maravillosa.

A TODOS, UN GRACIAS INMENSO.
Dr. Walter Guillermo Soto
Enero del 2006

Nuevamente dedico este libro a las personas que me ayudaron a ser lo que soy: una persona feliz, agradecida por las cosas que le regala la vida y que trata de vivir intensamente cada momento.

A María Elena y a Guillermo.
A Adriana, Juan Manuel, Melisa y Candela.
A María Elena y Victoria.

A mis pacientes y a mis amigos del alma.

"Salvo en el caso de la indiferente moneda que la
caridad cristiana deja caer en la palma del pobre,
todo regalo verdadero es recíproco.
El que da, no
se priva de lo que da.
Dar y recibir son lo mismo.
Como todos los actos del universo, la dedicatoria
de un libro es un acto mágico.
También cabía
definirla como el modo más grato y más sensible
de pronunciar un nombre."
Jorge Luis Borges

ÍNDICE

15 PRIMERA PARTE
ASPECTOS GENERALES DE LA MAMA. PREVENCIÓN. ENFERMEDADES BENIGNAS

17   1- Anatomía y fisiología normal de la mama
25   2- Las enfermedades benignas de la mama.
31   3- La prevención del cáncer de mama
57   4- La prevención secundaria: el diagnóstico precoz
63   5- ¿Qué es el cáncer? El cáncer de mama
71   6- El informe anatomo-patológico

75 SEGUNDA PARTE
COMO SIGUE LA VIDA DESPUÉS DEL DIAGNÓSTICO

77   7- Tengo el diagnóstico: cáncer de mama
81   8- La segunda opinión
85   9- La cirugía
91   10- La terapia radiante
95   11- La quimioterapia
99   12- Los controles periódicos postratamiento
101   13- La dieta durante la quimioterapia y la radioterapia
105   14- El tamoxifeno. Los inhibidores de la aromatasa
107   15- El linfedema, su prevención y tratamiento
111   16- Tratamientos reconstructivos
117   17- Aspectos psicológicos en el cáncer de mama

129   18- Grupos de autoayuda

135   19- Las terapias complementarias y alternativas

137   20- La sexualidad en las pacientes con cáncer de mama

153   21- Aproximaciones a un tema "tabú": sexualidad y cáncer vistos desde la psicología

165   22- Algunos testimonios

179   APÉNDICE 1
RECETAS SANAS Y CON SOJA

189   APÉNDICE 2
DIRECCCIONES ÚTILES

PRIMERA PARTE

Aspectos generales de la mama. Prevención. Enfermedades benignas.

1. Anatomía y fisiología normal de la mama

Las razones de que los senos de la mujer estén sobre el pecho, mientras que otros animales
los tienen en otros sitios, son de tres tipos. Primero, el pecho es un lugar noble, digno y casto,
y por esa razón los senos se pueden enseñar decentemente. Segundo, calentados por el corazón,
le devuelven el calor para que ese órgano se fortalezca. El tercero se aplica sólo a los senos
grandes, que, a la vez que cubren el pecho, calientan, cubren y fortalecen el estómago.
HENRI DE MENDEVILLE, profesor de cirugía de la Universidad de París y Montpellier (1300)

Esta maravilla de la historia de la medicina es una descripción de la anatomía y fisiología de la mama, que me impresionó muchísimo por su inocencia e inmensa fantasía, fruto de una de las mentes más brillantes y respetadas de su época. Pero, justo es decirlo, está muy lejos de lo que sabemos a la luz de nuestros conocimientos actuales.

Trataré de presentar, de una manera sencilla y comprensible, nuestros actuales conocimientos sobre la anatomía y la fisiología de la mama: durante la vida embrionaria, dentro del útero materno un grupo de células se diferencian del resto y comienzan a formar los esbozos de las glándulas, que se alinean paralelas desde las axilas hasta el pubis (similar a lo que sucede en los mamíferos). Casi todos, con excepción de dos, se atrofian y desaparecen, aunque a veces pueden persistir como una mancha o un rudimento de pezón ubicados en el tórax o el abdomen.

El desarrollo de las mamas (telarca) es el primer signo de maduración sexual, que precede en un par de años aproximadamente a la primera menstruación (menarca). Durante esta etapa, las mamas van pasando por distintos estadios muy bien descriptos por Tanner.

1) Mama infantil: se palpa un pequeño nódulo por detrás de la aréola.

2) Mama prepuberal: tiene un volumen más evidente y se observa un aumento del tamaño de las aréolas.

3) Mama puberal: continúa el crecimiento.

4) Mama cónica: se caracteriza porque la aréola y el pezón se proyectan en una formación cónica.

5) Mama madura: adquiere el tamaño definitivo, se pigmentan más las aréolas y pezones.

En la mama adulta, el parénquima o tejido mamario está compuesto por 15 a 20 lóbulos, cada uno de los cuales desemboca en un conducto excretor que llega hasta el

Telarca: Esquema explicativo de las distintas etapas

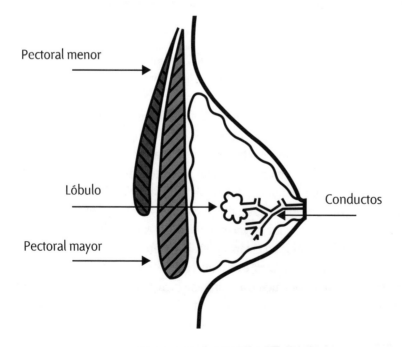

Pectoral menor

Lóbulo

Conductos

Pectoral mayor

pezón. Los lóbulos están formados por pequeños acinos (donde se produce la leche) y conductos (ductos, túbulos) encargados de transportar la leche hasta el pezón.

Estas estructuras anatómicas se encuentran rodeadas de un tejido fibroso conectivo, que les da soporte, y de una cantidad de tejido graso que varía según la contextura física y genética de cada individuo. Cada glándula tiene un sistema de sostén: los ligamentos de Cooper.

Las aréolas tienen una pigmentación que es mayor a la del resto de la mama, dicha coloración está directamente relacionada con los estrógenos; a mayor cantidad, más oscuras (esto sucede en el embarazo, mientras que en la menopausia empalidecen). Alrededor de las aréolas hay glándulas sudoríparas, sebáceas (glándulas de Montgomery) y folículos pilosos.

En el pezón desembocan los conductos en pequeños orificios rodeados de músculos que tienen la finalidad de contraerse durante la lactancia para facilitar la succión, aunque también se contraen ante otros estímulos, como el frío o la excitación sexual.

Las mamas en las distintas etapas de la vida

Describiré a grandes rasgos algunos hechos de cada etapa que deben tenerse en cuenta.

La infancia

Al nacer, los botones mamarios son solamente un rudimento de lo que luego serán las mamas adultas. No requieren mayores cuidados ni controles, porque están en una etapa aparentemente "latente" que se despertará en la pubertad.

Puede ocurrir que algunas niñas recién nacidas tengan secreción de un líquido lechoso por los pezones, lo que las abuelas llaman "leche de brujas". Esto pasa porque durante la vida intrauterina las glándulas mamarias fueron naturalmente estimuladas por las hormonas maternas que desencadenaron una secreción transitoria. Se debe consultar al pediatra de cabecera y, fundamentalmente, *no hay que hacer ningún tipo de extracción ni expresión de los pezones*. Si no se los toca, desaparecerá rápidamente.

Creo de utilidad comentar que en algunos raros casos puede producirse el crecimiento de una de las mamas y simular un nódulo. Este episodio debe ser consultado con el especialista, pero *bajo ningún concepto* se deberá optar por conductas agresivas y mucho menos quirúrgicas. Lamentablemente, todos los médicos conocemos algún desafortunado caso en el que se extirpó una glándula rudimentaria, dejando una lesión definitiva.

La adolescencia

En esta etapa se producen los mayores cambios.

Por la acción de las hormonas sexuales (estrógenos, progesterona y hormona de crecimiento, entre otras) se inicia el desarrollo de los conductos y los lobulillos de la glándula, acompañado de la acumulación de tejido graso que aumentará el volumen y el desarrollo de las aréolas y los pezones, e inducirá cambios en la coloración.

Es muy común que aparezca vello alrededor de las aréolas, que será más o menos visible de acuerdo con las características físicas y raciales de cada persona (es más frecuente en las mujeres descendientes de familias del mediterráneo y judías). Aquellas que se sientan molestas podrán depilárselo sin temor, pues es solamente una cuestión estética.

Todos estos cambios preceden a la aparición de la menarca, es decir, la primera menstruación.

La principal preocupación en este período no pasa tanto por lo físico, sino que está más directamente relacionada con la adaptación ante las modificaciones de las formas y del tamaño por parte de estas niñas-mujeres. Que se sientan cómodas y sin prejuicios dependerá mucho de su estructura psíquica, de la forma en que han sido educadas, de la importancia que se le da en su familia a la sexualidad, de la imagen corporal que tenga cada niña y de su personalidad.

La decisión sobre cuál es el momento más oportuno para empezar a usar corpiños sigue siendo aún todo un tema, en el que se deberá respetar la opinión de la niña y "los dictados de la moda". Se tratará en lo posible que sean adecuados, según los usos y actividades. Sería recomendable usar distintos tipos de corpiños, teniendo en cuenta la práctica de deportes u otras ocasiones particulares.

Muchas veces, en estos años de grandes cambios pueden ocurrir alteraciones en el peso más o menos importantes, y es bueno saber que si se produce un aumento muy brusco, asociado a determinadas características de la piel, pueden aparecer estrías que son estéticamente molestas y muy difíciles de manejar. Una oportuna consulta a un nutricionista y a un dermatólogo permitirá tener este tema mejor controlado.

Otro síntoma muy común y normal es el dolor y la tensión mamaria, usualmente asociado a los cambios hormonales cíclicos. A medida que se acerca la fecha menstrual aumentan las molestias, muchas veces con gran sensibilidad al tacto (especialmente en los pezones), que sólo disminuyen luego de la menstruación. Estas dolencias varían de una mujer a otra y, probablemente, las acompañarán durante toda la vida reproductiva con mayor o menor intensidad. Hace unos años se hizo un trabajo científico en el que se reunieron unas 300 mujeres con mastalgia (dolor mamario) durante la menstruación. Se las dividió en dos grupos: a unas se les indicó que durante esos días usaran corpiños de tipo deportivo y a otras se les dio un analgésico. Con el cambio de modelo de *soutien*, el 85% de las mujeres alivió sus síntomas, por lo que indudablemente cuando se tiene dolor mamario es muy recomendable usar un buen sostén, que no necesariamente es uno con aros (¡idolatrados por casi todas!), ya que a veces resultan más incómodos e ineficaces.

La adultez

En esta larga etapa probablemente se produzcan los cambios del embarazo y la lactancia.

Una vez alcanzado el tamaño propio de la adultez, éste sólo se alterará con la lactancia y los cambios de peso. Es muy común ver un aumento del volumen de las mamas en las mujeres que engordan, y notar que están más flácidas y péndulas cuando se adelgaza. Esto es así porque los ligamentos de sostén se estiran y en ocasiones desgarran. La mejor manera de evitarlo es, obviamente, tratar de mantener un peso adecuado; también ayuda el uso de corpiños que den un buen sostén.

El cuidado de la piel es idéntico al del resto del cuerpo. A veces algunas pacientes me preguntan si se pueden exponer al sol sin corpiño: desde ya que no existe ningún inconveniente si se toman los recaudos conocidos con respecto a los horarios, se utilizan cremas hidratantes y se bebe mucho líquido.

La menopausia

En esta etapa se deposita más grasa en las mamas, con el consiguiente aumento del volumen, y disminuyen la turgencia, los dolores y la coloración de las aréolas y los pezones. Cuando se usan estrógenos debido a un tratamiento de reemplazo hormonal, los síntomas antes descriptos retrasan su aparición.

Las "arrugas del escote" tienen el mismo tratamiento y prevención que las del rostro y las manos: buena hidratación y cremas humectantes.

El embarazo y la lactancia

Durante el embarazo, las mamas se preparan para poder alimentar al bebé con el mejor alimento conocido: la leche materna.

La mujer embarazada notará que sus pechos comienzan a crecer, que aparecen nuevas venas gruesas que se vislumbran a través de la piel, que los pezones y las aréolas cambian de color, y a veces también identificará algunas estrías.

¿Qué está pasando? Los lobulillos empiezan a crecer y a producir leche, los conductos se engrosan y aumenta la actividad celular. Toda la "maquinaria alimentaria natural" está trabajando a pleno.

El cuidado de las mamas en este tiempo se basa en mantener los pezones limpios lavándolos con agua y algún jabón suave (sin necesidad de antisépticos) y en hidratar adecuadamente la piel con cualquier tipo de crema que cumpla ese fin. Una de las más recomendadas es la de caléndula o el aceite vegetal.

Algunos autores afirman que para fortalecer los pezones y las aréolas se les debe pasar un cepillo suave, pero me parece innecesario y hasta riesgoso, pues no nos debemos olvidar que a través de los conductos puede ingresar algún germen y desencadenar una infección (mastitis). (Véase el capítulo de lesiones benignas.)

La mejor propuesta es masajear delicadamente los pezones con crema o con algunas gotas de calostro, que se obtienen con una suave expresión de los pezones.

La exposición de los pezones al sol y al aire suele ser beneficiosa, por lo que sugiero tomar sol por algunos minutos en los horarios que no son peligrosos para la salud.

Es recomendable el uso de corpiños que sostengan adecuadamente las mamas para evitar que se lesionen definitivamente, ya que, como hemos mencionado, sus ligamentos de sostén (de Cooper) se van a estirar debido al mayor peso y volumen. Cada mujer deberá adaptar el modelo a su comodidad y utilidad, teniendo en cuenta que los corpiños que usa cotidianamente, como los que tienen aro, pueden ser incómodos y tal vez hasta lleguen a lastimarla. Es preferible usar los de algodón y evitar los de nailon. Por supuesto que aquellas que no deseen usar sostén, no deben sentirse obligadas a hacerlo, porque en definitiva sobre ese tema aún hay mucho por discutir.

La aparición de estrías depende del tipo de tejido que tenga cada una, de la elasticidad de la piel y probablemente de otros factores que no conocemos adecuadamente. Por eso, lo mejor que pueden hacer las embarazadas es mantener la piel hidratada y la mama bien sostenida.

La leche materna es la mejor comida que se puede dar a un hijo, porque no sólo lo alimenta sino que también le aporta sustancias que lo van a ayudar a defenderse de los agentes patógenos externos; además es barata, no necesita de procedimientos complejos y está siempre a disposición del bebé. Luego del parto, es normal que en las primeras 48 horas salga de los pezones un escaso líquido blanco-transparente que se llama calostro, y contrariamente a lo que piensan algunos, no sólo es fabuloso para la alimentación del bebé, sino que además mejora su inmunidad. Por estas razones, lo mejor es darle de mamar al bebé cuanto antes.

Al poco tiempo comenzará a salir leche. Puede pasar que como prólogo de este momento la mamá tenga unas líneas de fiebre. En este caso no debe asustarse ni interrumpir la lactancia, ya que es transitorio y se arregla con algún antifebril (aspirina o paracetamol).

Cuando la lactancia ya está instalada, su continuación depende de que las mamadas sean periódicas, porque el estímulo del pezón aumenta la prolactina, hormona que es esencial para que se produzca suficiente leche. Cuantas más veces se prenda el bebé a la teta, más leche tendrá la mamá.

Una de las maneras más gratificantes y duraderas de establecer un buen vínculo madre-hijo es a través de la lactancia. Ésta puede y debiera iniciarse en la sala de partos y continuar durante la internación.

Ya en su casa, es muy importante que la mamá le dedique a la lactancia el *tiempo y el lugar adecuados*. Deberá tener en cuenta que las primeras semanas son de mutuo conocimiento, de aprendizaje, y para ello lo mejor es buscar un sitio tranquilo, sin ruidos molestos, donde pueda brindar toda la atención necesaria, sin interrupciones inútiles.

Es esencial que al finalizar la mamada los pechos estén vacíos de leche. Si quedaran algunas durezas, deberán "exprimirse" suavemente desde atrás hacia delante. Si a pesar de ello no se logran resultados satisfactorios, se puede colocar un paño tibio sobre el pecho o darse una ducha caliente, lo que dilatará los conductos y facilitará la expulsión de leche.

Si no se vacían las mamas luego de cada mamada, se corre el riesgo de que se produzca una infección (mastitis) que posiblemente haya que tratar con antibióticos, o en el peor de los casos drenar quirúrgicamente.

El uso de pezoneras o saca-leche mecánicos no es necesario, y a veces pueden ocasionar grietas o lastimaduras del pezón. La aparición de grietas en los pezones es un hecho frecuente, especialmente en las mujeres de piel muy blanca y pezones claros. Esto puede deberse a que los pezones no quedan limpios después de las mamadas, o a que éstas sean muy espaciadas, o a una congestión por usar ropa muy ajustada, mordeduras, etcétera. Pueden prevenirse poniendo más cuidado en la higiene, vaciando los pechos más frecuentemente (cada dos horas), exponiéndose al sol... Es importante recordar que si uno de los pezones está lastimado, es preferible empezar a dar de mamar con el pecho sano, para que la leche baje sola y más fácilmente al agrietado.

La alimentación de la madre es un capítulo importante en este período. No sólo es esencial hacer una dieta balanceada comiendo en forma variada, sino que también es necesario que tome mucho líquido, especialmente agua. Aquellos dichos populares como "tomar leche, trae más leche" o "hay que beber malta o cerveza" no necesariamente favorecen la lactancia. La leche está compuesta mayoritariamente de agua, por eso es necesario hidratarse continuamente.

Finalmente, unas palabras sobre las mamaderas y las leches "compradas": en primer lugar, es casi imposible que una madre no pueda dar de mamar, solamente se necesita paciencia, el tiempo necesario, no sentirse presionada afectivamente y no necesariamente escuchar a todos los que con la mejor buena voluntad, o no, quieran dar un consejo. Lo habitual es que un bebé mame cada dos horas. La leche materna se digiere fácilmente, en cambio las compradas (de vaca, en polvo, medicinales) dan una sensación de plenitud mayor y el bebé tarda un poco más en digerirlas. Las "metidas de siempre" sugerirán que estas leches son mejores, "porque se nota que alimentan más", "porque el bebé se queda planchado", y otras yerbas. Pero NO EXISTE MEJOR LECHE QUE LA DE LA MADRE. SALVO EXCEPCIONES, TODAS PUEDEN DAR DE MAMAR. No hay que dejarse engañar.

2. Las enfermedades benignas de la mama

Signos y síntomas

Las enfermedades benignas de la mama afectan a poco más de la mitad de las mujeres, aunque muy pocas de ellas pueden considerarse lesiones premalignas o malignas. Sin embargo, ocasionan temores y preocupaciones innecesarias.

El síntoma más común *es el dolor*, usualmente bilateral, que afecta especialmente a la región súpero-externa, de aparición súbita o periódica, asociado a los cambios hormonales cíclicos (menstruación-ovulación). En esos momentos, es frecuente palpar durezas más o menos delimitadas.

Describiré a continuación las enfermedades benignas más comunes y su importancia clínica.

Displasias

De las enfermedades benignas, la más nombrada es la "displasia". Pero, ¿qué significa este término? Vamos a tratar de definirlo y comentar sus síntomas más comunes.

En general, decimos que son mamas displásicas aquellas que tienen un tejido mayoritariamente fibroso y con poca grasa, característica anatómica de las mujeres jóvenes.

Como ya dijimos, es común el dolor (llamado *mastodinia* o *mastalgia*) relacionado con la menstruación o la ovulación. Estos síntomas son frecuentes en la mayoría de las mujeres, porque debido a los cambios cíclicos hormonales se producen distintos fenómenos fisiológicos, entre ellos la retención de líquidos que ocasionará distensión de los tejidos y estiramiento de los filetes nerviosos. La otra descripción constante es: "se me ponen duras y muy sensibles", llegando en casos extremos a que algunas mujeres no puedan tolerar el roce de la ropa de cama, los corpiños o el agua de la ducha. Estos síntomas también están descriptos como componentes del síndrome de tensión premenstrual, y tienen un tratamiento similar al de la mastalgia.

En realidad, la displasia *como enfermedad* es una entidad que *no existe*, a tal punto que este vocablo ya casi no se usa en los textos de medicina. Durante años se le han dado distintos nombres a los síntomas expuestos, y han surgido diferentes teorías que explicaban su origen. No es mi intención entrar en disquisiciones científicas, sino fundamentalmente aclarar algunos conceptos para otorgarles su justa importancia.

La "displasia", entidad tan masivamente diagnosticada, es sólo la denominación de un tipo de anatomía en la que predomina el tejido fibroso característico de las mujeres jóvenes, cuyo síntoma más común es la mastodinia cíclica.

La intensidad está en estrecha relación con el umbral del dolor de cada individuo y también, aunque a muchas les cueste aceptarlo, con una impronta psicológica, tal vez relacionada con factores inherentes a su feminidad: la aceptación de su "ser mujer", la forma en que vivió la transición de la niñez a la adolescencia y la situación familiar que caracterizó ese momento.

¿Hasta qué punto debemos preocuparnos? Las publicaciones científicas coinciden en que en estos casos no existe, a diferencia de lo que se pensaba antes, un riesgo mayor que el del resto de la población de padecer cáncer de mama. Por lo tanto, los controles ginecológicos deben hacerse con la periodicidad habitual (anualmente) salvo que exista alguna causa que justifique acortar los tiempos.

¿Se pueden tomar anticonceptivos hormonales cuando se "diagnostica" una displasia? Sí, porque los riesgos y los cuidados son similares a los de cualquier otra mujer, es decir que estos anticonceptivos no están "prohibidos" ni contraindicados, como escucho a veces. Más aún, muchas veces el uso de estos métodos anticonceptivos puede disminuir las molestias.

Quistes

Los lobulillos mamarios producen secreciones que se reabsorben espontáneamente o se liberan al exterior a través de sus conductos. Cuando por algún motivo se produce más líquido del normal, o alguno de estos conductos se obstruye, se forma un quiste. Esto no es más que la retención de líquido dentro de una cavidad preformada. Los quistes en las mamas son muy comunes, especialmente en las mujeres jóvenes y con tejido mamario predominantemente fibroso ("¡¿displásicas?!").

En general, es una enfermedad benigna que no requiere tratamiento, salvo que el quiste adquiera un volumen muy notorio o produzca dolor. En esos casos se debe considerar la posibilidad de realizar una punción aspirativa, preferentemente bajo visión ecográfica: al vaciarse, las paredes de la cavidad se "pegan" y entonces el quiste desaparece. En forma rutinaria se envía el material obtenido al laboratorio de patología para su correspondiente análisis. Las punciones se hacen con una jeringa y una aguja idénticas a las que se usan para las inyecciones intramusculares y usualmente se extrae un líquido amarillo/verdoso. Estas maniobras duelen como un pinchazo, se realizan en el consultorio y por manos experimentadas, y no tienen consecuencias desagradables.

Algunas veces la ecografía nos muestra un quiste con formaciones sólidas en su interior, y en esos casos es indispensable investigar el contenido, ya sea por medio de una punción o de cirugía, debido al riesgo de que se trate de una lesión maligna.

Mastalgia

Mastalgia o mastodinia significa dolor en las mamas. Es una de las consultas más frecuentes y muchas veces es un tema angustiante, porque erróneamente se asocia el dolor con el cáncer. Éste es un dolor bastante característico que se presenta en forma cíclica y que se atenúa al finalizar la menstruación. Como ya dijimos, lo más frecuente es que la mastalgia se deba a los cambios normales que se producen durante el ciclo hormonal o al uso de terapias de reemplazo en la menopausia.

Se manifiesta de diferentes maneras y en distintas circunstancias; algunas mujeres lo relacionan con el uso de corpiños apretados, otras con dormir boca abajo, con el golpeteo del agua durante la ducha, en fin, puede producirse en un sinnúmero de situaciones.

La mastalgia se trata con analgésicos e indicando el uso de corpiños que sostengan firmemente las mamas sin apretarlas demasiado. Probablemente no sea el mejor momento para usar esa lencería tan linda, con puntillas y encajes.

Hasta hace poco estaba muy difundido el uso de comprimidos con vitaminas E y A, o de cremas con progesterona. En algunos casos extremos, se usa tamoxifeno. La práctica cotidiana nos muestra que las respuestas a estas terapias no siempre son las esperadas.

Seguramente, lo más importante es darle a estas molestias su justo valor, recalcando que no están relacionadas con el cáncer de mama. Espero que estas explicaciones hayan sido útiles para no permitir que la mastalgia limite o condicione la actividad diaria.

Secreción por el pezón

Cuando fuera de la lactancia se comprueba secreción por el pezón, se debe consultar al especialista. La mayoría de las veces, se trata de un líquido blancuzco, grisáceo o amarillento que no es nada más que la expresión de la acumulación en alguno de los conductos de las secreciones normales de la mama. En otras ocasiones se relaciona con resabios de la lactancia o con la ingesta de diferentes medicamentos como algunos tranquilizantes, antidepresivos y digestivos.

Cuando tenemos alguna duda sobre sus características, los médicos tomamos una muestra en un portaobjetos y lo enviamos a analizar al laboratorio de anatomía patológica.

En cambio, si se observa un líquido sanguinolento o directamente sangre, estamos ante un signo de alarma, sospechoso de que en los conductos que llegan al pezón exista una lesión potencialmente maligna. A pesar de que muchas veces se trata de un papiloma benigno, es indicación formal realizar una biopsia a fin de llegar a un diagnóstico de certeza.

Fibroadenomas

Uno de los tumores benignos más frecuentes es el fibroadenoma. Estos nódulos se diagnostican muy frecuentemente en las mujeres jóvenes, ya sea durante el auto-examen o luego de la evaluación física del medico. Se palpan como una "bolita" dura que se mueve libremente entre los dedos, que no está "pegada" al resto del tejido y que a veces produce dolor durante las menstruaciones. Su tamaño en las primeras etapas es de algunos milímetros, pero puede llegar a tener varios centímetros de diámetro.

La conducta a seguir está directamente relacionada con la edad, el tamaño del fibro-adenoma y los síntomas. Se justifica extirparlos si son grandes y producen molestias, o si la paciente se siente incómoda o muy preocupada porque supone que esos síntomas pueden ser el inicio de una enfermedad maligna; caso contrario, se puede controlar su tamaño y características con ecografías semestrales y luego anuales evitando la cirugía. Como afecta a mujeres jóvenes, no hay que apurarse a operarlos porque con el paso del tiempo pueden aparecer otros que dejarán varias cicatrices poco estéticas. Considero prudente esperar, salvo que sea imperativo extirparlos, hasta aproximadamente los 25-30 años. En general son superficiales y se pueden operar con anestesia local y en forma ambulatoria. La posibilidad de malignización de un fibroadenoma es escasísima.

Asimetrías

Es muy frecuente encontrar mujeres de todas las edades cuyas mamas son de diferente tamaño. Si bien esto no representa una enfermedad en sí misma, a veces ocasiona una relación conflictiva con el propio cuerpo.

Tengamos en cuenta que las asimetrías se manifiestan a edad temprana, usualmente durante el desarrollo puberal, y pueden ocasionar complejos y vergüenzas que llevan a las adolescentes a esconderse y a no participar de ciertas actividades en las que se sienten más expuestas debido al tipo de vestimenta. En principio, se pueden corregir con el uso de prótesis externas de siliconas u otros materiales, *y solamente luego de completado el desarrollo puberal* (aproximadamente a los 18 años), de ser necesario, está indicada la cirugía plástica y reparadora.

Desarrollo precoz. Hiperplasias

Rara vez puede ocurrir que en niñas pequeñas se produzca un desarrollo de las glándulas mamarias que no esté acorde con la edad ni con el estado hormonal esperable para ese momento.

Estas patologías se pueden relacionar con enfermedades productoras de estrógenos o con el uso de medicamentos contraindicados para esa edad. Es muy importante la consulta precoz con el especialista a fin de encontrar el origen del problema y tratarlo correctamente.

En casos poco frecuentes, durante la pubertad las mamas crecen más de lo normal, alcanzando un tamaño exagerado, tornándolas incómodas, dolorosas y muchas veces vergonzantes. Estas situaciones se pueden corregir, previo estudio de los factores hormonales, a través de una cirugía.

Glándulas supernumerarias

Durante la vida embrionaria, desde la ingle hasta las axilas existen unos rudimentos de glándulas mamarias: dos de ellas crecerán y el resto se atrofiará. En la mayoría de las personas es común encontrar pequeños esbozos de pezones en la piel del abdomen, el tórax y las axilas que se asemejan a verrugas o manchas.

En algunos casos, cuando el desarrollo del tejido glandular es mayor, especialmente en las axilas, el tejido manifiesta los mismos cambios que las mamas durante los períodos hormonales y el embarazo. El riesgo de que estas glándulas se vuelvan malignas es ínfimo y su tratamiento quirúrgico responde esencialmente a consideraciones estéticas.

3. La prevención del cáncer de mama

"**Prevención:** ver con anticipación un daño o perjuicio. Preparación y disposición que se hace anticipadamente para evitar un riesgo" *(Diccionario Enciclopédico Universal)*.

De acuerdo con esta definición, se "previene" una enfermedad cuando se toman las medidas necesarias para que no se desarrolle. En este sentido, la vacunación es preventiva y también lo es el uso de preservativo para evitar las enfermedades de transmisión sexual.

El objetivo primordial de los estudios ginecológicos se basa en la detección precoz. Uno de los ejemplos más representativos es el del cáncer de cuello uterino. Hasta hace unos años, era la primera causa de muerte entre las mujeres, pero el uso masivo del Papanicolaou como método de diagnóstico temprano logró que descendiera de ese ingrato puesto de privilegio.

Sin embargo, con respecto al cáncer de mama no existe un consenso generalizado sobre las medidas de prevención que se podrían recomendar a la población general. NO PORQUE NO EXISTEN, sino tal vez porque no es sencillo cuantificar en un trabajo científico la incidencia de los perjuicios de adoptar determinados hábitos y su relación con el cáncer de mama. Seguramente también porque, como veremos luego, tanto ésta como el resto de las enfermedades se desarrollan por una multiplicidad de causas a veces complicadas de priorizar. Miles de personas expuestas a situaciones de estrés más o menos similares reaccionan de distinta manera: algunas sufren infartos; otras, alteraciones de la piel, gastritis, depresión, caída del pelo... y otras, lesiones neoplásicas.

Es indispensable que me detenga un instante para desarrollar el concepto de huésped. Todos nosotros constantemente tenemos en nuestro organismo células cancerígenas que presentan alteraciones cromosómicas que son reparadas o destruidas por mecanismos de defensa. Cuando éstos fallan, probablemente nos encontremos ante el inicio de una enfermedad. Aún no sabemos acabadamente cuáles son las diferencias entre los que logran destruir los elementos agresivos y los que no. Probablemente, el huésped que va a enfermarse esté en un momento de su sistema inmunológico que permite que la enfermedad se "aloje" y crezca. Es decir que todos sufrimos la agresión, pero solamente algunos pocos desarrollarán la patología. ¿Por qué un huésped es más o menos permisivo? No tengo una respuesta definitiva, pero indudablemente hay hechos que se reiteran constantemente: el antecedente cercano (uno o dos años) de episodios que afectaron profundamente a ese individuo y que le ocasionaron un importante desequilibrio (muerte de seres queridos, separaciones, pérdidas laborales, deterioro de la autoestima, etcétera). De allí surge mi constante prédica para tratar de lograr y mantener un equilibrio psicofísico, y para que aquellos que ya tienen la patología declarada busquen los caminos que conducen a ese estado de bienestar. La esencia del tratamiento de cualquier enfermedad, como veremos luego, se basa en dos pilares: *la mejor atención médica puesta al servicio de la curación y la activa participación del paciente en busca de su sanación.*

Es imposible identificar en el cáncer de mama un único factor predisponente, ya que es una enfermedad multicausal en la que interactúan muchas situaciones. Por lo tanto, requiere de la atención de un equipo multidisciplinario e interdisciplinario.

Erróneamente muchos médicos sostienen que la única forma de "prevenir" es la realización de mamografías en forma periódica a partir de determinada edad *(screening)*. En realidad, éste es un método muy eficaz para *reconocer tempranamente* lesiones mamarias: *eso significa diagnóstico precoz pero no prevención.* Las mamografías y ecografías son de gran importancia para diagnosticar las enfermedades en sus estadios iniciales y así aumentar las posibilidades de curación.

A pesar de que la incidencia de cáncer de mama aumentó muchísimo en las últimas décadas, aún no comprendemos acabadamente sus causas. ¿Qué cambios produjeron el aumento de los cánceres de todo tipo? ¿Tal vez hubo una modificación en nuestra información genética? ¿Nos convertimos en seres más sensibles a las enfermedades? ¿Estamos alterando el medio ambiente de tal manera que quedamos expuestos a sustancias que son causantes directas de cáncer?

Seguramente la respuesta sea una suma de factores; sin duda, estamos incorporando a nuestro organismo los desechos tóxicos de aquello que justamente usamos para mejorar nuestra "calidad de vida", como por ejemplo los pesticidas, la energía nuclear, las radiaciones, los plásticos, la manipulación genética y otros cuyas consecuencias por mal uso son altamente peligrosas. Si a esto le sumamos los hábitos de vida particulares de algunas zonas, tal vez podamos comprender el siguiente cuadro que sorprendentemente muestra las variaciones regionales del cáncer de mama.

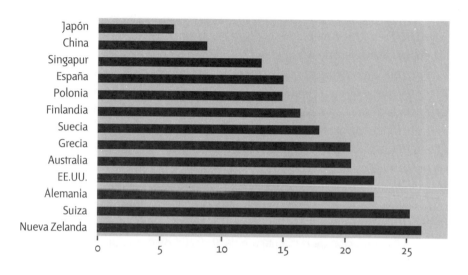

Índice de cáncer de mama por región

Ante esta situación, ¿qué podemos hacer? Creo que una buena manera de empezar a prevenir es conocer los factores de riesgo propios. Quizás, cada mujer se identifique con alguno de los que se describen a continuación, pero obviamente eso no significa que tenga o vaya a tener cáncer de mama. Esta información es solamente enumerativa, y debe servir de guía para poder tomar las medidas oportunas en beneficio propio.

Factores predisponentes de cáncer de mama

Antecedentes familiares de cáncer mamario
Se estima que entre el 5% y el 10% de los nuevos casos son atribuibles a mutaciones genéticas de índole familiar. Esto quiere decir que aquellas personas que tienen familiares en primer grado (madre, hija, hermana) que han tenido cáncer de mama, especialmente si fue previo a la menopausia, tienen mayor riesgo que el resto de la población.

Se identificaron algunos genes específicamente involucrados, los más conocidos son los BRCA-1, BRCA-2 y el p53, aunque posiblemente cuando esté leyendo estas páginas existirán otros conocidos y/o en vías de investigación.

El p53 es un gen supresor que inhibe la proliferación descontrolada de las células cancerígenas y actúa proveyéndolas de proteínas para reparar el ADN alterado. Si se altera el p53, se pierde la posibilidad de detener las duplicaciones descontroladas y por ende el crecimiento tumoral.

El gen BCRA-1 actúa como supresor de proteínas tumorales inhibiendo el crecimiento de la neoplasia. Se lo encuentra alterado en el 45% de todos los cánceres de mama. En las familias con antecedentes de cáncer de mama y ovario su incidencia llega al 85%. Las mujeres poseedoras de una alteración en el gen BCRA-1 tienen un riesgo del 50% de desarrollar un cáncer de mama antes de los 50 años, y esta probabilidad llega al 85% a los 65 años. El riesgo de cáncer de ovario también está aumentado.

El gen BCRA-2 también está relacionado con la patología mamaria, pero no tanto con la de los ovarios. La detección de los genes BCRA-1 y 2 puede hacerse a través de análisis de laboratorio, y los datos obtenidos se evaluarán dentro del contexto de la multicausalidad, pues como información aislada no debe precipitar la adopción de medidas de discutible provecho: existen muchos trabajos científicos que apoyan la mastectomía (extirpación de la mama) profiláctica a fin de disminuir el riesgo.

Edad del primer parto

Las mujeres con embarazos de término tienen, estadísticamente, menos posibilidades de adquirir cáncer de mama.

La edad del primer parto es muy importante, pues se considera que aquellas que lo tuvieron antes de los 30 años están más protegidas. El mecanismo de defensa sería el siguiente: conocemos que hacia el final del embarazo se maduran las células de los alvéolos que producen leche y las de los conductos que la transportan y confluyen hacia el pezón. En esa zona de unión de los ductos con los alvéolos es donde se asientan la mayoría de las transformaciones neoplásicas. Cuanto más desarrolladas estén las células de esos sitios (como en la lactancia), menores son las chances de que se vuelvan malignas.

Las mujeres que tuvieron partos después de los 30 años tendrían el mismo riesgo que las nulíparas. Aún no está claro el riesgo/beneficio asociado a la multiparidad.

Un comentario especial es que debido a los cambios de estilo de vida, en los centros urbanos es muy común que las mujeres pospongan la maternidad más allá de los treinta. Todavía no sabemos si esto aumentó estadísticamente la incidencia de cáncer en este grupo etario, pero el sentido común me lleva a pensar que seguramente es un dato menor a tener en cuenta en el momento de la planificación familiar.

Lactancia

Independientemente de los sobrados beneficios de la lactancia materna, a la que adhiero fervientemente, no tenemos hasta el momento pruebas concluyentes e irrefutables que aseguren que dar de mamar disminuya el riesgo de cáncer de mama. Si bien históricamente se sostuvo que la lactancia era uno de los mecanismos naturales de protección de las mamas, algunos reportes contradicen esta aseveración. A pesar de ello, existe un consenso generalizado con respecto a sus beneficios.

Indudablemente, en el estado actual de nuestros conocimientos no estamos en condiciones de emitir una opinión definitiva, aunque existe una fuerte evidencia sobre los efectos protectores de la lactancia basados en el concepto expuesto párrafos arriba sobre la madurez de los conductos.

Pero además, si recordamos el concepto de multicausalidad y el valor de los aspectos afectivos y psicológicos, no hay ninguna duda de que estimular el vínculo madre-hijo desde la más temprana edad va a ser definitivamente útil y beneficioso en ese momento y en el futuro.

Edad

La década de mayor incidencia de cáncer es la que va de los 50 a los 60 años. Indudablemente, ése es el momento donde debemos intensificar los controles y estar muy alertas.

Lamentablemente, existe una creciente tendencia a afectar a mujeres más jóvenes, por lo que recomiendo no dejar pasar el tiempo y tener especial atención a partir de los 40 años. Es por eso que la Sociedad Norteamericana de Radiología (ARS) sugiere comenzar con las mamografías a partir de los 40 años en mujeres sin antecedentes personales ni familiares de cáncer. En caso contrario recomienda tener una placa de base a los 35 años y seguir con radiografías cada dos años hasta llegar a los 40.

Cáncer en la otra mama

Sabemos que las mujeres que han tenido cáncer mamario aumentan sus chances en alrededor de un 25% de desarrollar una nueva neoplasia en el otro pecho. De allí que en algunos países, especialmente en Estados Unidos, se utiliza el tamoxifeno (véase más adelante) como "quimioprevención", es decir que se lo administra en pacientes sin lesiones malignas evidentes, como medida para disminuir su potencial riesgo. Como toda medicación, su uso conlleva otros peligros, por lo que no es una indicación aceptada en los países de Europa. Personalmente creo que no es razonable tomar una droga durante períodos prolongados si su indicación está basada en una suposición estadística, ya que no se puede evaluar seriamente sus beneficios y además se incrementan otros factores de riesgo. Otra cosa es su indicación en los tumores hormono-dependientes, como veremos luego.

Exposición a estrógenos. Terapias de reemplazo hormonal

Los estrógenos son hormonas que producen fundamentalmente los ovarios desde antes de la menarca (la primera menstruación) y hasta la menopausia (la última). Participan en el desarrollo de los caracteres sexuales de la mujer y en la fertilidad.

En los cánceres de mama estrógeno-dependientes actuarían como un "combustible", pues tendrían influencia directa en la reproducción celular. De allí su formal contraindicación en aquellas que ya tienen la patología o su riesgo de padecerla es muy elevado.

Se considera que las exposiciones prolongadas a los estrógenos son situaciones de mayor riesgo, de allí que resulten preocupantes una menarca temprana, la menopausia tardía y los tratamientos prolongados con hormonas.

No me parece lógico ni razonable tener en cuenta el inicio y la finalización natural de las menstruaciones, ya que son condiciones directamente relacionadas a la información genética con la que nace cada uno. Creo que es INDISPENSABLE respetar estas condiciones. Cualquier intento por cambiarlas es contrario a los principios de la naturaleza, y no tiene fundamento. En lo que sí se puede participar y tomar una decisión al respecto es en la exposición a estrógenos exógenos (los que se incorporan en forma de medicamentos, en la dieta, en productos de belleza).

Los principios activos de los anticonceptivos hormonales son casi siempre una combinación de estrógenos y progesterona, una de cuyas finalidades es evitar la ovulación. Es un método de muy alta eficacia y, en general, de muy buena tolerancia. A pesar de que se usa desde hace años, existen contradicciones con respecto a sus riesgos. Las últimas publicaciones científicas sostienen que el uso de anticonceptivos hormonales no incrementa las chances de padecer cáncer de mama; sin embargo, los médicos debemos tamizar la información y corroborar su procedencia y los intereses del autor para poder darle su justo valor.

Los profesionales deberemos tener en cuenta los pros y las contras de acuerdo con los antecedentes de la futura usuaria, estar muy atentos a la posibilidad de un embarazo no deseado e informar detenidamente sobre las distintas alternativas que nos brinda la anticoncepción actual. El uso de este método en pacientes debidamente seleccionadas de acuerdo con sus antecedentes, edad, hábitos sexuales y tabaquismo, disminuirá notoriamente la exposición indeseada a efectos perjudiciales.

Las terapias de reemplazo hormonal son otro punto álgido. A través de los medios de difusión se insiste sobre los riesgos y perjuicios que se asocian a la menopausia: osteoporosis, sofocos, sequedad de la piel, pérdida de la lozanía, enfermedad de Alzheimer, disminución de la libido, etc., etc.; sin embargo, el uso a largo plazo de estrógenos durante la menopausia (¿más de cinco años?) se asocia a un mayor riesgo de padecer cáncer de mama, tal como ha sido demostrado en el trabajo de WHI (Women Health Initiative, 2003) que debió ser interrumpido en Inglaterra por la inesperada alta tasa de tromboembolismo y cáncer de mama.

El Departamento de Salud y Servicios Humanos de los Estados Unidos, en su décimo reporte sobre carcinógenos del 11 de diciembre de 2002, incorporó a los estrógenos a la lista de sustancias "conocidas" que provocan cáncer de mama. *El reporte diferencia los carcinógenos humanos CONOCIDOS –sobre los que hay suficiente evidencia científica de estudios en humanos– de los RAZONABLEMENTE PREVISIBLES –cuyas evidencias en humanos son limitadas o provienen de estudios en animales–*. Se lo puede consultar en: <www.ntp-erver.niehs.nih.gov>.

Cuando se comenzó a usar estrógenos como tratamiento de reemplazo hormonal en pacientes menopáusicas, se observó un aumento de los cánceres de endometrio; luego, al agregar progesterona (otra hormona), se logró disminuirlos.

Si bien las causas por las que las mujeres realizan terapias de reemplazo son de todo tipo, las que tienen síntomas muy frecuentes e intensos merecen una atención especial. ¿Qué hacer con los padecimientos de estas mujeres? En esos casos, personalmente realizo tratamientos con dosis bajas por intervalos cortos, por vía oral o local en aquellos casos de sequedad vaginal o trastornos en la micción (al orinar). Las que tuvieron cáncer de mama son casos especiales. Por el momento, solamente indico cremas u óvulos vaginales con estrógenos por períodos breves para las que sufren una importante sequedad vaginal que les dificulta mantener relaciones sexuales.

Sin embargo, en muchas oportunidades uno prefiere abstenerse de hacer un tratamiento hormonal por la complejidad del caso clínico.

Existen otras alternativas para disminuir los síntomas asociados a la menopausia. Desde hace tiempo conocemos los componentes de algunos vegetales (fitoestrógenos) que tienen una acción similar a la de los estrógenos. Las fitoterapias, que día a día incorporan más adeptos, permiten a través de la dieta o de distintos productos farmacéuticos proveer elementos presentes en la naturaleza que mejoran y disminuyen los síntomas del climaterio. Una mención especial es para las isoflavonas de soja, que están especialmente indicadas para los calores ("tuforadas") que se presentan en aproximadamente el 60% de las mujeres menopáusicas. En esos casos, el uso de 50/60 mg diarios de isoflavonas disminuirá la incidencia de los calores en un 80% de las pacientes. Como veremos en el capítulo referido a las dietas, no es indispensable incorporarlo en forma de comprimidos, ya que también es posible lograrlo cambiando o mejorando los hábitos de alimentación.

En definitiva, sabemos que no es buena la exposición prolongada a los estrógenos, especialmente a los exógenos, y que cada caso merece un análisis detenido y una respuesta personalizada.

Otros factores a tener en cuenta

La obesidad

Muchas publicaciones nos informan que la obesidad es un predisponente del cáncer de mama. Sabemos que en la grasa corporal, especialmente en la zona abdominal, en los glúteos y en las mamas, existen unas enzimas llamadas *aromatasa* que convierten algunas sustancias químicas en estrógenos que pasan a la circulación sanguínea. Pareciera además que la aromatasa incrementa su actividad durante la menopausia.

Existen evidencias científicas suficientes para recomendar firmemente evitar la obesidad, pues hay pruebas concluyentes de que las obesas, luego de sus tratamientos por cáncer de mama, tienen un pronóstico peor que las delgadas.

La obesidad (que es un aumento de más del 20% del peso corporal normal) está directamente relacionada con las alteraciones de la dieta. Los alimentos ricos en calorías, frituras y grasas predisponen a un aumento de peso, además de ser factores desencadenantes de enfermedades metabólicas relacionadas: la diabetes, desequilibrios del colesterol y su consecuente riesgo coronario.

Podemos asegurar que mantener un peso adecuado para la edad y contextura física es esencial para prevenir los niveles elevados de estrógenos, por lo que es una premisa fundamental para aquellas pacientes con cáncer diagnosticado y tratado.

Los implantes mamarios de siliconas (prótesis)

Desde siempre, las mamas son uno de los iconos de la belleza femenina, aunque, justo es decirlo, en las últimas décadas se ha exagerado la importancia de su tamaño y de su forma, a tal punto que el uso de implantes de siliconas es una práctica cada vez más frecuente.

Pareciera que esta situación comenzó durante la Segunda Guerra Mundial, cuando las prostitutas orientales no conformaban a los soldados norteamericanos por el tamaño de sus mamas y entonces se inyectaban gel de siliconas directamente en los senos, práctica que por supuesto les ocasionaba innumerables trastornos de la salud (lamentablemente, todavía vemos en forma aislada algún caso). Posteriormente, se desarrollaron las técnicas de envoltorios rellenos de siliconas. Algunas publicaciones refieren que estas fundas están hechas con materiales que pueden ser tóxicos para el organismo y que además no son totalmente impermeables. Esto significa que pequeñas cantidades de su contenido podrían derramarse en el tejido mamario y en la circulación general, lo que ocasionaría enfermedades inmunológicas (esto es más frecuente en las portadoras de siliconas en comparación con las no usuarias).

La cantidad de trabajos científicos que sostienen la inocuidad de los derrames de gel de siliconas es inmensa, pero lo mismo sucede con los que describen enfermedades asociadas a los trastornos inmunológicos. ¿Dónde está la verdad? ¿Son tan importantes los intereses económicos que pueden manipular la realidad médica?...

Desde 1992 se han iniciado más de 20.000 juicios contra las compañías fabricantes de implantes, y tres de éstas destinaron 4.2 billones de dólares para indemnizar a posibles usuarias perjudicadas por su uso.

En nuestro país, la ANMAT (Administración Nacional de Medicamentos, Alimentos y Tecnología Médica) publica las recomendaciones de orden público que transcribo a continuación:

A partir del mes de mayo de 1995 se encuentra vigente la Disposición 1246/95 de la ANMAT, la cual fija los requisitos técnicos que deben cumplimentar los Implantes Mamarios de Silicona y las condiciones a las que deben atenerse las empresas que fabriquen y/o importen estos productos.

Dicha norma establece también que cada envase que contenga una prótesis debe ser acompañado por:

· Proyecto de Consentimiento Informado (por duplicado): En este documento figuran los riesgos específicos del implante mamario que el paciente debe conocer. El cirujano debe entregar una copia al paciente y conservar una para él.

· Ficha de Inscripción de Procedimientos Quirúrgicos (por cuadruplicado): Esta ficha está destinada a recabar una mínima cantidad de datos de las prótesis a implantar y del paciente, los cuales serán utilizados con fines estadísticos. El cirujano debe retener una de las copias, entregarle otra a la paciente y las dos restantes a la empresa. Esta última se encargará de remitir una de ellas al Departamento de Tecnología Médica de la ANMAT.

Es importante que el cirujano informe a la paciente receptora del transplante que esta ficha debe ser presentada antes de la realización de cualquier estudio mamográfico, con el objeto de que el médico especialista pueda interiorizarse sobre las características del implante. De esta manera, el profesional podrá utilizar equipos y técnicas adecuados, como equipos de alta resolución y técnicas manuales que permitan obtener un diagnóstico certero.

Cabe destacar que la disposición anteriormente mencionada fue elaborada con el asesoramiento de una comisión, en la cual participaron, ya sea en forma permanente o por colaboración directa en temas específicos, especialistas en cirugía plástica, inmunología, alergología, anatomía patológica, ginecología y mastología.

Previo a la redacción de la norma surgieron una serie de recomendaciones, algunas de las cuales se detallan a continuación:

· Hasta el momento, los resultados de los ensayos clínicos realizados no aseguran ni descartan una relación directa entre los implantes mamarios de siliconas y el desarrollo de enfermedades inmunológicas o reumáticas (esclerodermia, artritis reumatoidea, lupus y demás colagenopatías).

· A la misma conclusión se arribó luego de estudiar la posible vinculación del desarrollo de cáncer mamario con la presencia de un implante.

No obstante, debido a la existencia de casos clínicos puntuales en los que se relaciona temporalmente al implante con la presencia de estas enfermedades, es imprescindible que se tomen todos los recaudos necesarios para conocer la presencia clínica o subclínica de estos males antes de la intervención. Dada la evolución silenciosa y prolongada que caracteriza a este tipo de patologías, creemos conveniente llevar a cabo un cuidadoso interrogatorio e investigación clínica y que, en los casos en que se considere pertinente, se empleen exámenes complementarios que permitan un diagnóstico certero de las mismas. Desaconsejamos ante la existencia clínica o subclínica de cuadros inmunológicos o reumáticos el implante de prótesis de siliconas.

Debido a que las prótesis dificultan el estudio mamográfico y clínico, retardando el diagnóstico de cáncer mamario, es necesario aconsejar a las mujeres con implantes de silicona que, teniendo en cuenta las recomendaciones técnicas mencionadas con anterioridad, realicen seguimientos clínicos periódicos y estudios mamográficos.

Desaconsejamos el implante mamario si el paciente está catalogado como de alto riesgo, siendo recomendable informarle sobre los riesgos que corre.

Por el contrario, no hay inconvenientes en realizar un implante en casos de reconstrucción mamaria por mastectomía, ya que, al no existir la mama, no resulta dificultosa la detección de tumores.

Estudios recomendados

Ante cualquier procedimiento de implante de prótesis de siliconas aconsejamos:
- Consulta con el médico.
- Examen clínico mamario.
- Hacer una mamografía previa a la cirugía.
- Un control reumatológico de laboratorio (en los casos en que se considere necesario).
- Firma del consentimiento informado.

La ANMAT registra las empresas y productos que pueden ser ingresados al país. Esta información es de carácter público y puede ser consultada en el Departamento de Tecnología Médica, donde se llevarán a cabo estudios estadísticos basados en la información recibida mediante las Fichas de Inscripción de Procedimientos Quirúrgicos. Asimismo, por medio del Sistema de Tecnovigilancia se recibirán las notificaciones de los problemas y/o efectos adversos que dichos productos pudieran tener.

Lamentablemente, la moda actual es tenerlas... ¡inmensas! De allí que los supuestos iconos de la belleza televisiva son mujeres con pechos exuberantes, que casi compiten para ver quién las tiene más grandes (esto me recuerda a un preconcepto masculino...). Indudablemente, detrás de todo esto hay un gran negocio. Pero lo que es más importante: creo ver una terrible desvalorización de lo que cada uno de nosotros tiene por naturaleza. Probablemente, estas mujeres crean que los hombres nos enamoramos y elegimos para compartir la vida a señoras de grandes pechos, por sobre cualquier otra cualidad... nada más lejos de la realidad.

Los ginecólogos estamos acostumbrados a ver todos los días pacientes que han pasado por la cirugía de los implantes, cuyos resultados estéticos son discutibles, y muchas veces nos preguntamos qué factores habrán influido para que decidieran someterse a una cirugía o cuán informadas estaban de los resultados, de los riesgos, de las técnicas, etcétera.

Finalmente, los cirujanos plásticos indican, la mayoría de las veces, la colocación de los implantes por detrás de la glándula y no por detrás del músculo pectoral (véase capítulo sobre reconstrucción), por lo que la capacidad de la mamografía para detectar lesiones es *mucho menor*. Sugiero que *antes de ir al quirófano se realice una consulta con el ginecólogo o especialista en patología mamaria, para asesorase en estos temas y realizar los estudios pertinentes para evaluar sus riesgos.* La realidad es que pocas toman en cuenta las recomendaciones de los especialistas, y la mayoría de ellas acude directamente al consultorio del cirujano plástico.

El medio ambiente

Es evidente que el medio ambiente influye en el desarrollo de muchas enfermedades. Si bien existen muchísimas publicaciones internacionales, especialmente de los Estados Unidos, que demuestran que los cambios regionales inducidos por las industrias y sus desechos incrementan las tasas de cáncer de mama, no se les da la difusión necesaria (a pesar de que las cifras expuestas son realmente alarmantes). Últimamente, en la Argentina cada vez se escuchan más voces que advierten sobre situaciones potencialmente riesgosas, aunque, justo es decirlo, en general provienen de los medios de información y de la gente común y *no del Estado*.

Podríamos empezar por presentar algunas estadísticas, y tratar de interpretarlas. Un estudio publicado en 1977 en el *Journal of National Cancer Institute* describe que entre la población de mujeres posmenopáusicas que viven en el oeste y noreste de Estados Unidos hay un 20% más de casos de cáncer que entre las que viven en el sur. El National Cancer Institute concluye que probablemente esas diferencias se deban a la historia familiar de cáncer, a la edad de menarca y a la planificación familiar; sin embargo, también admite que existirían factores del medio ambiente responsables. Es necesario destacar que el sur es una región de menor desarrollo industrial.

La población de Long Island, Nueva York, tiene la tasa más alta de cáncer de mama del país, y en algunas regiones específicas se duplicaron los casos. Se sabe que en esas zonas las industrias producen millones de toneladas de desechos tóxicos, como dióxido, cadmio, plomo y mercurio, que contaminan el aire, el suelo y el agua.

Hay muchos más ejemplos similares a los anteriores, pero creo que no vale la pena continuar con su descripción, sino tratar de comprender que los cambios que inducimos en el medio ambiente impactan de una u otra manera en nuestra salud.

Hace algunos años comenzó en nuestro país una "onda ecológica" que alerta sobre estos hechos. Por desgracia, el Estado no promueve con más énfasis los beneficios de no acumular desechos, de usar materiales reciclables, de no contaminar el suelo, el agua y el aire. Obviamente, los mecanismos de control y castigo son, cuando menos, insuficientes. ¡Qué bueno sería no tomar esto como una moda, sino como una herramienta que preserva nuestra salud, y que los organismos estatales correspondientes tomen las riendas del control y castiguen a los infractores!

Tal vez, como no se ven los resultados inmediatamente, nos resulta difícil pensar en el cuidado del medio ambiente. Con mucha tristeza pienso que ésta es una pesada hipoteca que legaremos a nuestros descendientes y que, más vale temprano que tarde, tendremos que solucionar. Mientras tanto, cada uno de nosotros debería aportar su pequeño esfuerzo para no empeorar la situación. En definitiva, se trata de nuestras vidas y obviamente de las de nuestra descendencia.

Los pesticidas y los alimentos

Los plaguicidas y pesticidas que se usan para controlar las malezas y los insectos perjudiciales para las plantaciones dejan residuos tóxicos en el suelo, el agua y los vegetales que luego son ingeridos por el hombre y los animales herbívoros. Al comer carnes y vegetales contaminados, los incorporamos inadvertidamente a nuestros organismos. El más conocido es el DDT, pero también sus derivados, como el DDE, el hexaclorobenceno y otros. También, algunos de estos contaminantes se encuentran en los plásticos que envuelven las verduras y carnes que se venden en los supermercados.

El cigarrillo y el alcohol

El hábito de fumar es la primera causa del incremento de los cánceres de pulmón en el último siglo, pero además la inhalación del humo en forma activa o pasiva produce el ingreso al torrente sanguíneo de muchísimas partículas altamente tóxicas para otros órganos, entre ellos, las mamas.

La American Lung Association estimó que el consumo de cigarrillos mata más estadounidenses por año que la suma de muertes por el uso de cocaína, heroína, alcohol, accidentes de auto, suicidios y homicidios juntos.

Las publicaciones científicas coinciden en relacionar directamente al cigarrillo con el cáncer de mama. Pocas actitudes tan nefastas como el hábito de fumar tienen una aceptación pública tan alta. Luchar contra ello es una obligación del Estado y de cada uno en particular.

De todos los tóxicos, el alcohol es uno de los más reconocidos en relación con el cáncer de mama, y es una asociación muy frecuente en la consulta médica. Por tratarse de una afección vergonzante y socialmente criticable, es bastante difícil la identificación y aceptación de la enfermedad por parte de las pacientes, lo que retrasa y dificulta posibles tratamientos.

Factores psicológicos de riesgo

La psicología describe algunas personalidades como más propensas o expuestas a padecer enfermedades. Esto no quiere decir que aquellos que pudieran ser incluidos en alguna de las tipologías que describiremos a continuación tendrán indefectiblemente un riesgo mayor, sino que son signos que deberán ser evaluados en su real contexto.

- Omnipotencia o sumisión frente al estrés. Son aquellas personas que no miden los riesgos de sus actos, que siempre pueden (o deben) enfrentar y solucionar los problemas. Viven volcadas a satisfacer y sostener a los otros sin darle importancia a signos de cansancio corporal o a cualquier otro síntoma que indique "que algo raro esta pasando". O, al contrario, frente a una adversidad se consideran incapaces de reaccionar y se resignan a que las cosas simplemente ocurran.

- Abatimiento/apatía. Son los que siempre encuentran una buena excusa para quedarse quietos (en todo sentido), les falta entusiasmo, son "aburridos", nunca tienen ganas de hacer nada. Éstos son indicadores de depresión, aunque no siempre se los relacione con ella.

- Falta de fantasías pensamientos concretos. Nunca una ilusión, un anhelo, un "me gustaría hacer tal o cual cosa". Siempre se remiten a los hechos, como cosas inamovibles e inmodificables (dificultad para reconocer, reflexionar sobre sus conflictos y enfrentarlos). Es notorio lo complicado que es para estas personas poder hablar de estas situaciones.

- Redes vinculares defectuosas. Los psicólogos llaman redes vinculares a las relaciones de las personas con su entorno, sean familiares, amigos, compañeros de actividades. Indudablemente, cuanto más apoyo y comprensión se encuentre en ellas, habrá mayor protección (lo que no significa que necesariamente deban ser constantemente complacidos).

- Hábitos de riesgo. Me refiero a los de la vida cotidiana: al que fuma un atado de cigarrillos por día, o ahoga sus penurias en alcohol, o come como un desaforado. Indudablemente algo le está pasando... ¿o no?

- Sobre-adaptación. ¡Hay que "rendir" a toda costa! No importa si se sienten bien o mal, si tienen bronca, angustia, miedo, cansancio o lo que fuera... Sienten que su "obligación" es cumplir.

- Dificultad para expresar los sentimientos a través de la palabra. Aun aquellos que tienen "mala prensa": bronca, resentimiento, envidia, tristeza...

¿Cómo disminuir el riesgo?

Disminuir los riesgos no sólo es posible, sino también una meta accesible. ¿Cómo lograrlo? Entre otras "cositas", mejorando los hábitos de alimentación, haciendo actividad física, dándole importancia al reposo, disminuyendo el estrés, en definitiva... mimándose más.

Históricamente, la medicina dividió al cuerpo humano en órganos y regiones que facilitaron su estudio y comprensión. Lamentablemente, nos ha costado y cuesta mucho reunir esas partes y entender que cualquier desarreglo en una de ellas afecta al todo. Y no solamente eso, sino que además los cambios del medio ambiente que rodea a este individuo afectan su salud y lo tornan más o menos vulnerable a las enfermedades.

¿Qué quiero decir con todo esto? *Muy sencillo: cuanto más se disfrute de las cosas diarias, cuanto más saludable sea el estilo de vida, cuanta mayor importancia se le dé a las cosas gratificantes, cuanto menos influencia tengan los problemas que ocurren a diario, mejor será la calidad de vida, menor el riesgo de enfermarse y... ¡mayores las chances de ser feliz!*

Progresivamente se le da mayor importancia a los neurotransmisores, sustancias que provocan en el organismo reacciones placenteras que disminuyen el estrés y aumentan la tolerancia a las agresiones externas (aunque también podrían estar relacionadas con algunas enfermedades). Muchas de ellas surgen del estímulo sensorial o de la realización de determinadas actividades físicas (olores agradables, el tacto, la vista, deportes, etc.) que inducen en el cerebro la liberación de endorfinas y otros elementos similares que "hacen que uno se sienta mejor".

1- Nutrición y peso corporal:

Este tema es importantísimo, ya que en una gran cantidad de publicaciones se manifiesta una progresiva tendencia a priorizar en el mundo entero los hábitos alimentarios y su relación con el cáncer de mama y otras enfermedades como la diabetes y las cardiovasculares. Para ello es muy importante que consideremos a la comida como un hecho social muy relevante, que vincula a las personas con sus ancestros maternales y con sus más elementales necesidades de supervivencia, que les permite relacionarse con su entorno al compartir una mesa, que les proporciona placer, displacer, alegría o culpa.

El concepto de que la dieta incide en el cáncer de mama se describe en muchísimas publicaciones de las más importantes revistas científicas del mundo, sin embargo, todavía no esta explícitamente reconocido por muchas de las sociedades médicas.

Como dijimos, la obesidad y el sobrepeso se caracterizan por el aumento de la grasa corporal, en la que por distintos procesos metabólicos y enzimáticos algunas sustancias se transforman en estrógenos, que es una hormona esencialmente producida por los ovarios y además de tener funciones importantes en el desarrollo sexual y la reproducción es "facilitadora" de la multiplicación celular. Se reconoce que en los cánceres las células se dividen rápidamente y sin control. Como los estrógenos son "facilitadores", uno de los objetivos del tratamiento de cáncer de mama se fundamenta en bloquearlos o disminuirlos.

La obesidad es indudablemente un factor que favorece la aparición de la enfermedad y puede perjudicar su evolución, por lo que es esencial combatirla. Aproximadamente un 80-90% de los cánceres se relacionan con factores ambientales, y probablemente un 35% esté vinculado con la alimentación.

Las mujeres orientales tienen una de las menores tasas de cáncer mamario en el mundo, pero cuando se mudan a Estados Unidos incrementan su tendencia al mismo nivel que las occidentales. Del mismo modo, ocurre a la inversa cuando las occidentales van a vivir a Oriente. Posiblemente, una de las causas de este fenómeno es la diferencia dietaria.

Nos servirá de modelo la mujer estadounidense, que es una de las más expuestas al cáncer de mama y con uno de los porcentajes más elevados del mundo. El alto consumo de grasas y frituras, azúcares refinados y productos envasados son el mejor ejemplo de cómo no se debe comer. Sin embargo, la gran difusión de sus hábitos a través de los medios de comunicación y nuestra tradicional costumbre de adoptar lo foráneo nos está llevando a perder nuestro estilo de comer, que está asociado con la cultura europea. Las bajas tasas de cáncer de mama en las mujeres mediterráneas demuestran que sus hábitos son más sanos, y sus costumbres culinarias no tienen nada que ver con las estadounidenses.

Todas las vitaminas y los minerales necesarios para las personas están presentes en los alimentos naturales, sin embargo, en vez de alentar su consumo muchos prefieren tomarlos en forma de cápsulas, como las que nos ofrecen las propagandas de los medios de comunicación. ¿Acaso le creemos más a la industria que a la naturaleza? ¿Es más sabroso tomar una cápsula del remedio "x" que comer una manzana?

En una sociedad como la nuestra, de vieja tradición en el consumo de carnes vacunas, alentar una dieta con abundantes frutas y verduras no es una tarea sencilla. La clave, tal vez, sería no tomar estas recomendaciones como una prescripción médica. Debemos "encontrarle la vuelta": lograr que la belleza de la variedad de los colores de las frutas y verduras esté asociada al placer de su consumo y presentarlas de la mejor manera

Las pacientes obesas o con sobrepeso, y también las que ganan peso luego del diagnóstico de cáncer de mama, están expuestas a un mayor riesgo de complicaciones y a evolucionar desfavorablemente durante el tratamiento. Resumiendo: "La obesidad reduce las expectativas de vida y limita la capacidad física".

Cuando se quiere enfrentar el sobrepeso, se piensa en una dieta con sacrificios y sufrimiento... Propongo que estos cambios no se denominen "dieta", porque esta palabra encierra muchos prejuicios, da sensación de castigo, de sacrificio, de decirle NO a todo lo sabroso. Llamémoslo "plan alimentario", es decir, planear las comidas, la forma de prepararlas, eligiendo productos que aporten nutrientes y que se pueden elaborar sin necesidad de decirle a todo que NO.

Planteemos algunos objetivos:
- Mejorar la calidad de vida manteniendo un peso adecuado.
- Conocer los alimentos, sus propiedades y beneficios.
- Incrementar el consumo de sustancias con propiedades anticancerígenas.
- En caso de sobrepeso, disminuirlo.

Ahora bien, ¿cómo se hace para comer sano?, ¿cuándo y cuánto hay que comer?, ¿que alimentos no pueden faltar en la alimentación diaria? Van algunos ejemplos:

Antioxidantes (AO)

Los AO protegen al ADN y proteínas de algunos procesos normales oxidativos de las células. Se encuentran básicamente en frutas y verduras: vitamina C, vitamina E, beta carotenos, selenio y zinc.

Vitamina C: sus principales fuentes son los cítricos, la frutilla, el kiwi, el mango y el tomate. El requerimiento por día es de 60 mg, y esto se cubriría comiendo, por ejemplo, tres frutas medianas o dos frutas y una porción de verduras.

Vitamina E: presente en los aceites vegetales, los cereales integrales y las frutas secas. El requerimiento diario es de 15 mg.

Beta carotenos: en el organismo se transforman en vitamina A, que no sólo es un potente antioxidante, sino también un protector de tejidos como la piel y las mucosas, y posiblemente también actúe como un inhibidor químico de la carcinogénesis en las glándulas mamarias. Se encuentran en las hortalizas de hoja verde, la zanahoria, el zapallo, el tomate, la batata y las frutas amarillas y rojas. Su requerimiento diario es de 800 ng, equivalente a una porción de verduras de distintos colores.

Selenio: previene el daño de las membranas celulares provocado por los radicales libres. Está en el germen de trigo, frutas secas, avena y salvado de trigo. El requerimiento diario es de 200 mg. Se sugiere agregar germen de trigo y granola o salvado al yogur, la leche o las ensaladas y aumentar el consumo de cereales integrales (avena o arroz integral) y panes de salvado.

Zinc: forma parte de las células y es componente de numerosas enzimas encargadas de favorecer los procesos metabólicos del organismo. Las principales fuentes son los mariscos, moluscos y pescados. El requerimiento diario es de 15 mg, por lo que hay que consumir pescados, especialmente de aguas frías, o mariscos como mínimo 2 veces por semana.

Estaría muy bien, además, incrementar el consumo de fibras que forman parte de las estructuras de vegetales, de grasas poliinsaturadas (omega 3 y 6) y frutas crudas.

El plato debe ser un "arco iris", porque cuantos más colores tenga, más rico será en fitoestrogenos.

Fitoestrógenos

Los fitoestrógenos son sustancias presentes en más de 300 especies vegetales. Tienen una estructura molecular similar a la de los estrógenos, hormonas que produce el organismo. Uno de ellos, las isoflavonas, que están presentes en la soja y sus derivados (tofu, leche de soja, harina), tiene probados efectos en el humano. Ejemplo de ello son las mujeres asiáticas, cuya alimentación es rica en soja: prácticamente no sufren los síntomas del climaterio, osteoporosis ni afecciones cardiovasculares, y fundamentalmente *tienen las menores tasas de cáncer de mama del mundo.*

Estas observaciones siempre llamaron la atención de los científicos occidentales, y cada vez hay mayor consenso en reconocer a los hábitos alimentarios como los responsables de estos fenómenos. Sin embargo, como hemos mencionado anteriormente, cuando las mujeres orientales se mudan a Occidente y adoptan su estilo de vida y alimentación, en pocas generaciones equiparan su riesgo al de la población nativa.

En el cuadro siguiente, se grafica claramente lo expuesto para el cáncer de mama y sus "similares" como el de colon y estómago:

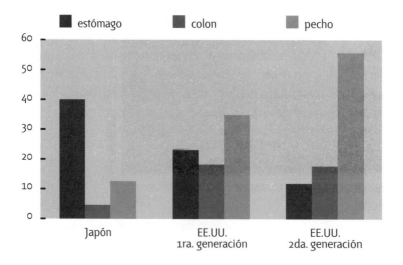

Incidencia de cáncer de mama en migración asiática a Norteamérica.

Fuente: J. L. Stanford, *Epidemiology*, 1995.

¿Cuáles son los mecanismos de acción de los fitoestrógenos? Para que los estrógenos tengan actividad biológica, se deben combinar en las células con un sitio específico llamado receptor. Los fitoestrógenos tienen una estructura molecular (una forma) tan parecida a los estrógenos que compiten con ellos por los receptores hormonales, pero como tienen muchísima menor actividad biológica que los estrógenos, al ocupar los receptores "engañan" a la célula y tienen poquísima potencia.

Esquema del estradiol, la isoflavona y su unión al receptor estrogénico

También producen un alargamiento de la duración de los ciclos hormonales femeninos, lo que significa menor cantidad de menstruaciones en la vida; disminuyen el colesterol total, LDL y aumentan el HDL; previenen la osteoporosis y minimizan los síntomas del climaterio, en especial los sofocos.

Normalmente en nuestra alimentación consumimos solamente 5 mg/día de isoflavonas en comparación a los 40-50 mg/día de los habitantes de los países orientales, por lo tanto es recomendable aumentar el consumo de alimentos ricos en fitoestrógenos.

Esta recomendación puede cubrirse, por ejemplo, consumiendo alguna de las siguientes opciones:

- 1 milanesa de soja
- 3 cucharadas de porotos de soja
- 2 vasos de leche de soja + 60 g de queso tofu
- 50 g de harina de soja + 1/2 taza de brotes de soja

Es importante recordar que consumiendo frutas, verduras y cereales integrales también se está contribuyendo al aporte diario de fitoestrógenos.

Las reglas básicas a tener en cuenta para disminuir el riesgo de padecer cáncer de mama son:

- Mantener un peso saludable. Evitar el sobrepeso.
- Consumir alimentos ricos en fibra: frutas y verduras, cereales integrales y legumbres.
- Aumentar el consumo de alimentos que contengan fitoestrógenos: soja, cereales integrales, semillas de lino y coles.
- Disminuir el consumo de grasas de origen animal y aumentar el consumo de aceites vegetales.
- Comer diariamente frutas y verduras de todo tipo y color.
- Comer con moderación carnes rojas y blancas, separando la grasa visible, e incorporar a la dieta pescados de mar de aguas profundas, como salmón, atún, caballa, trucha de mar (frescos o envasados al agua).
- Evitar el consumo de alcohol.

Para mantenerse saludable y disminuir el riesgo de padecer enfermedades habría que conjugar tres cosas: una dieta equilibrada, un buen control médico y la realización diaria de actividad física. Finalmente, quiero recalcar que para lograr una dieta equilibrada hay que realizar un plan alimentario personal, que responda a nuestras necesidades particulares ya que cada organismo es diferente.

2- Actividad física:

La actividad física es un complemento ideal para mantenerse saludable. Desde ya, es indispensable comprender que no necesariamente hay que hacer una rutina de gimnasio ni practicar un deporte por obligación. Solamente se debe comenzar a cambiar los hábitos sedentarios por algunas caminatas o paseos en bicicleta, u otras actividades similares, y se podrá comprobar una lenta transformación: la percepción del medio ambiente será distinta, los mismos paisajes se verán de otra manera, los colores parecerán más nítidos, los olores serán distintos. El resultado será un cierto cansancio gratificante, menos ganas de comer cosas innecesarias o de fumar. Las personas que modifican sus hábitos sedentarios aumentan su tolerancia al estrés y le restan importancia a aquello que hasta hace poco les quitaba el sueño sin que valiera la pena. Todo esto no solamente es una simple sensación, sino que se acompañará de una mayor resistencia a las enfermedades. ¡¡¡No hay que perder la posibilidad de experimentarlo!!!

En general, los hombres se inclinan más hacia los deportes grupales y las mujeres a los ejercicios del gimnasio. No dudo de que una gran cantidad de personas asumen este compromiso físico en aras de la moda, de mantener una figura acorde con los ideales estéticos que pregonan los medios de comunicación, pero otras, aunque hayan ingresado por esta puerta, terminan disfrutándolo a pleno.

Desde los tiempos de Hipócrates sabemos de los efectos beneficiosos de la gimnasia sobre los pacientes con trastornos emocionales. Tanto es así que históricamente se indicaba su práctica intensiva como medida terapéutica. Posteriormente, la industria farmacéutica desarrolló los psicofármacos, y se difundió su uso. Lamentablemente, los hombres preferimos las soluciones mágicas, envasadas y vendidas en las farmacias, antes que asumir un compromiso con nuestra salud.

Se han publicado muchísimos artículos científicos a favor y en contra de la realización de gimnasia como prevención del cáncer de mama. Sin embargo, pareciera haber consenso en que las mujeres que hacen entre una y tres horas semanales de actividad física disminuyen en un 20% el riesgo de tener cáncer de mama en la premenopausia, y las que dedican cuatro o más horas semanales muestran una disminución del 40% comparadas con las que no practican ejercicios. Tal vez uno podría discutir estos porcentajes, pero existen evidencias firmes, aunque no definitivas, que los justifican.

Es bien conocido que al finalizar algún deporte las personas "se sienten bien", con un cansancio distinto al que produce el trabajo, el estudio u otras obligaciones. Esta sensación se relaciona con unas sustancias que produce el cerebro llamadas endorfinas, que se manifiestan como una mejora del humor y de la actitud personal.

Además, las endorfinas son uno de los analgésicos más potentes que existen en la naturaleza. Por ejemplo los deportistas reciben fuertes golpes (trompadas, pelotazos, torceduras) durante un torneo, y sin embargo siguen compitiendo. Esto es así porque durante la práctica de la actividad física aumenta muchísimo el nivel de endorfinas. Luego, durante el descanso, cuando estos neurotransmisores "se enfrían", disminuyen sus valores sanguíneos y se comienza a percibir dolor.

También, estas sustancias se elevan cuando se realizan tareas placenteras, que involucran los sentidos, aunque no impliquen un desgaste físico: pintar, reír, tener relaciones sexuales, recibir y dar caricias, los estímulos visuales (películas, lectura), comidas, etcétera.

Para las mujeres que están haciendo quimioterapia o radioterapia, las exigencias serán menores porque es importante mantener un nivel óptimo de reservas energéticas, pero queda claro que una actividad física moderada y acorde con sus posibilidades ayudará a mantener los valores de endorfinas elevados. ¡Una de mis pacientes después de cada sesión de quimioterapia se iba a jugar al *paddle* con sus amigas! Merecen una mención especial aquellas actividades físicas que acorde con su filosofía mantienen y promueven el vínculo cuerpo-mente, como el yoga o el tai-chi-chuan. Valen la pena.

El ejercicio tiene un efecto tranquilizante, pero para ello debe respetar algunas pautas, fundamentalmente la duración (la ideal es más o menos media hora), la repetición semanal (dos a tres veces), la intensidad (30% al 60% del máximo posible) y el ritmo acorde con las posibilidades de cada uno: caminata, carrera, bicicleta.

Debe quedar en claro que la ansiedad no va a disminuir solamente con los ejercicios físicos, ya que es una situación personal y multicausal, cuya solución depende de distintas terapéuticas. La Sociedad Internacional de Psicología del Deporte aseveró en 1992 que el proceso del ejercicio, ya sea de corta o larga duración, causa un bienestar mental y una mejoría psicológica. La actividad física es causante de una elevación de la autoestima que produce beneficios en la hipertensión, osteoporosis, crisis diabéticas y varios trastornos psiquiátricos. Es efectiva, junto con otras formas de psicoterapia, para el paciente depresivo.

Los beneficios individuales del ejercicio incluyen la disminución de: a) el estado de ansiedad; b) los síntomas depresivos; c) los niveles de estrés; d) los niveles de neurosis. También colabora en el tratamiento de la depresión severa y beneficia psicológicamente a ambos sexos y en todas las edades.

¡¡¡Sólo hay que hacer la prueba!!! No se necesita ser atleta ni nada parecido, no importa que nunca se haya practicado ningún deporte. Sólo hay que asesorarse y adaptar la actividad a las posibilidades de cada uno... No vale decir que no se dispone de tiempo, existe la posibilidad de levantarse un rato más temprano.

La mayoría de las actividades son buenas: gimnasia, yoga, natación, bicicleta, caminatas... Pero esencialmente no hay que hacerlo como una obligación, sino como algo gratificante y placentero. Esos lugares tan conocidos que se transitan siempre serán diferentes. Como decía don Atahualpa Yupanqui: "Para el que mira sin ver, la tierra es tierra nomás". No es nada más que eso.

En las mujeres obesas, la disminución de la ingesta de calorías y la actividad física permitirán que baje de peso más rápido. Los ejercicios aeróbicos de una duración mayor a los treinta minutos facilitan la eliminación de las grasas porque las utilizan como recurso energético. Bueno, a todo esto... ¿qué tal si hoy salimos a caminar?

3- El autoexamen de mamas:

El autoexamen consiste en su inspección y palpación, con la finalidad de encontrar alguna lesión de sospecha. A pesar de que muchos trabajos científicos demostraron que, por sí solo, el autoexamen no disminuye las tasas de mortalidad por cáncer de mama, su correcta realización permitirá reconocer cualquier modificación y de esa manera informar al ginecólogo para que nos asesore sobre su importancia.

La detección de durezas, retracciones, lesiones del pezón, sangrado o cualquier otra situación anormal es razón más que suficiente para hacer una rápida consulta con el médico de cabecera.

El mejor momento para hacer el examen de las mamas es después de menstruar, que es cuando disminuye la tensión mamaria. Se debe comenzar a partir de la adolescencia y realizarlo durante toda la vida.

Para iniciar un buen autoexamen, las mujeres deben pararse frente al espejo y observar si hay alguna modificación en la forma y el tamaño de las mamas.

Luego se levantan lentamente los brazos hasta colocarlos por encima de la cabeza (como si alguien dijera: ¡arriba las manos!) y se observa si con ese movimiento se produjo algún cambio. Si todo está bien, comienza la palpación.

Para ello, hay que acostarse y colocar una mano detrás de la nuca, por ejemplo la izquierda, y con la otra se examinará la mama contralateral (en este caso, la derecha). Se deben usar por lo menos tres dedos para aumentar la sensibilidad del método.

Hay que recorrer la mama con los dedos realizando círculos concéntricos, empezando de afuera hacia adentro, hasta terminar en el pezón. Luego se cambia de posición y de mama. Es importante tener en cuenta que al acostarse, debido al peso de la glándula, va a haber más tejido en la parte externa (axilar) que en la interna (esternal), y si se palpa algo duro y horizontal, seguramente es una costilla; para corroborarlo, hay que tratar de recorrerla en toda su longitud.

Es conveniente dividir a la mama en cuatro cuadrantes, trazando una cruz imaginaria a la altura del pezón, y palpar cada uno de ellos en forma consecutiva. Hay que "caminar" con los dedos, trazando líneas paralelas de arriba hacia abajo, empezando en la zona media del pecho (donde está el esternón) y terminando en el borde axilar.

El autoexamen finaliza con una expresión del pezón, para ver si sale algún líquido.

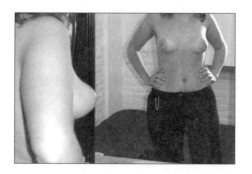
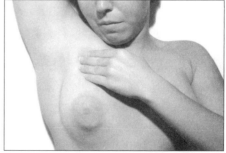

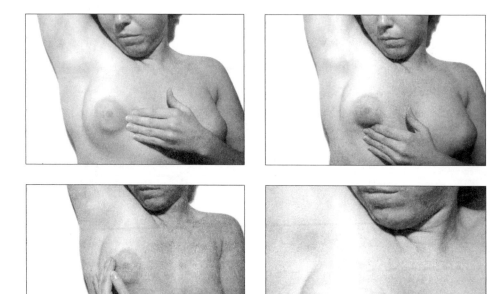

4- La consulta periódica:

El médico especialista es el encargado de reconocer los factores de riesgo en cada paciente, y de acuerdo con ello programará la frecuencia de las visitas. *Lo habitual es una vez por año.*

El tiempo que transcurre entre cada entrevista médica se estipula como el mínimo necesario para que se pueda manifestar cualquier anomalía. Por lo tanto, al acortarlo no necesariamente se logra una mejor protección, y si se alarga, tal vez estemos perdiendo el momento más oportuno para iniciar un tratamiento.

Siempre sugiero, con doble intención, que el inicio de las entrevistas médicas sea en la adolescencia, porque esto permite empezar a mostrarles a las niñas-mujeres cómo es el consultorio ginecológico, transmitirles algunas nociones sobre educación para la salud, darles la libertad suficiente como para que puedan expresarse y, una vez lograda la confianza suficiente, realizar el examen mamario y explicar la autoevaluación, para que entre otras cosas puedan reconocer mejor su cuerpo.

Una de las cosas que debemos hacer los médicos es tratar de darle a cada síntoma su justo valor, para evitar las preocupaciones innecesarias y los dobles mensajes, que sólo llevan a la confusión.

En este sentido, el reiterado e innecesario diagnóstico de "displasia mamaria" trae aparejado un supuesto estatus de riesgo que debe evitarse por ser inexacto. Como se mencionó en el capítulo correspondiente, en general nos estamos refiriendo a personas jóvenes cuyas mamas tienen predominio de tejido fibroso, por lo que la palpación hará que se perciban más "duras" que las de una mujer mayor. Esta "displasia" frecuentemente se relaciona con un dolor asociado a los cambios hormonales premenstruales o menstruales, con un aumento de la sensibilidad de la piel que puede ocasionar molestias ante el roce de la ropa, el agua de la ducha o la palpación. Estas situaciones usualmente van cambiando con los años y con las gestaciones.

La consulta periódica está garantizada en los centros públicos de salud, en las obras sociales y prepagas, por lo que no existen excusas para evitarla.

Todo lo expuesto en este capítulo sería el abecé de la prevención y de cómo evitar los factores de riesgo más conocidos y habituales.

4. La prevención secundaria: el diagnóstico precoz

Mamografías y otros estudios complementarios

La detección precoz del cáncer de mama nos va a permitir acceder a mayores opciones de tratamiento, habitualmente menos agresivas y con las mejores chances de curación. Cuanto más pequeña sea la lesión, mayores serán las posibilidades de éxito. Tanto es así que cuando en una mamografía de rutina se observa un cáncer menor de un centímetro de diámetro, las tasas de curación superan el 90%. Entonces, ¿se puede hacer algo para detectar precozmente el cáncer de mama? Por supuesto que sí: la consulta periódica y la mamografía.

Ya comentamos la importancia de la consulta periódica en el capítulo anterior, por lo que vamos a describir la utilidad de la mamografía y los otros estudios complementarios.

Mi amigo el doctor Ariel Saracco, experto en imágenes en patología mamaria radicado en Estocolmo, me ha comentado su impresión sobre este tema: "Antes que nada, creo importante dejar claro que no existe aún ningún método que por sí solo encuentre el 100% de los cánceres de mama. La combinación del uso de la mamografía y la ecografía mamaria detecta aproximadamente entre un 85% y un 95% de las lesiones. No existe, hasta el momento, mejores sistemas de diagnóstico por imágenes".

Métodos de diagnóstico

Las mujeres pueden llegar a hacerse un examen mamográfico y ecográfico por dos razones:
- referida por su médico para un control de rutina (mujer asintomática)

- referida por su médico a causa de alguna anormalidad encontrada en la palpación y/o inspección (paciente sintomática).

Es importante recalcar que ante cualquier situación que preocupe a una mujer con respecto a sus mamas (independientemente de su edad), deberá primero dirigirse a un especialista de mamas, quien evaluará los síntomas y le indicará los pasos a seguir.

Mamografía

Es sin lugar a dudas la principal modalidad en el campo de la imagenología mamaria y un arma fundamental en la detección precoz del cáncer de mama.

Consiste en una rápida y muy efectiva evaluación con rayos X del interior de las mamas, su piel y axilas. La mamografía puede encontrar lesiones en el orden de los 3 a 4 mm, incapaces de ser detectadas con la palpación. Para un buen examen mamográfico es necesario aplicar cierto grado de compresión sobre la mama para que los rayos X penetren en el tejido glandular en forma más efectiva, pareja y en menor dosis. Esta compresión puede resultar en algunos casos "molesta" para la mujer.

Normalmente el estudio mamográfico requiere de 2 o 3 placas por mama, cubriendo de esta manera la totalidad de la glándula a estudiar. Luego el resultado es interpretado y clasificado por un médico especialista.

En los últimos años, la Asociación Norteamericana de Radiología diseñó una categorización llamada BI-RADS que agrupa las lesiones en categorías del 1 al 6.

Categorías BI-RADS 2004			
Breast Imaging Reporting And Data System (BI-RAD) American College of Radiology (ACR)			
BI-RADS	DESCRIPCIÓN	VPP Valor Predictivo Positivo	SUGERENCIAS
BR1	Mama normal		Control habitual
BR2	Patología benigna		Control habitual
BR3	Sugestiva de benignidad	<2%	Control 6 meses
BR4A	Baja a moderada sospecha	2%	Punción cito/histológica
BR4B	Moderada sospecha	Al	Estudio histológico
BR4C	Moderada a alta sospecha	94%	Estudio histológico
BR5	Alta sospecha (clásica)	-95%	Estudio histológico
BR6	Malignidad confirmada	-100%	No hay sugerencias
BRo	Estudio insuficiente		Estudios complementarios

Frecuentemente se requiere de imágenes complementarias, como las "localizadas", "rotadas" y/o "magnificadas", y esto no necesariamente significa que estemos frente a un cáncer de mama sino que son tomas extras para establecer un correcto diagnóstico.

Ecografía

Es un método simple, accesible y fundamental para el diagnóstico de las enfermedades de la mama en la actualidad. Este método (que no usa rayos X) permite una profunda evaluación de las mamas, axilas, planos musculares y ganglios linfáticos regionales sin incomodidad alguna para el paciente. *De ninguna manera reemplaza a la mamografía sino que la complementa;* ya sea en los casos en que la paciente tiene un tejido glandular demasiado denso y dificultoso para ser evaluado sólo con mamografía o como complemento de investigación frente a una lesión ya conocida. En este último caso la ecografía nos permite llegar a un diagnóstico más certero y nos informa sobre la extensión real de la lesión que se está investigando. Como es un método que trabaja en tiempo real permite un fácil y rápido acceso para cualquier tipo de biopsia y/o marcación pre-quirúrgica que se tenga que hacer sobre una lesión en la mama.

El constante desarrollo de nuevos equipos de ecografía está haciendo de este método un arma imprescindible en el diagnóstico y asesoramiento de las lesiones de mama.

Otros métodos complementarios

La resonancia magnética de mama y la medicina nuclear son métodos de gran importancia para el diagnóstico y asesoramiento en el tratamiento posterior. Cada uno de ellos tiene su indicación específica y no deben ser tomados como métodos de evaluación rutinaria.

¿Cuándo comenzar a hacer las mamografías?

La Sociedad Norteamericana de Enfermedades de la Mama y la Asociación de Radiología Norteamericana recomiendan comenzar con los estudios rutinarios a partir de los 40 años y repetirlos anualmente.

En nuestro país, el PMO (Plan Médico Obligatorio), en sus programas de prevención del 2001, recomienda comenzar a los 50 años y repetirla cada dos años hasta los 69, y en pacientes de riesgo elevado recomienda una mamografía de base a los 36 años y luego una anual a partir de los 40.

Personalmente, a mis pacientes que concurren para control periódico de salud, indico mamografías en forma anual a partir de los cuarenta. En las que tienen antecedentes de riesgo mayor que el resto de la población, comienzo con una de base a los 35 años. No tiene mucho sentido hacer mamografías en mujeres más jóvenes, ya que como el tejido mamario es muy fibroso, la visualización de lesiones es mucho más difícil y la posibilidad de indicar exploraciones innecesarias aumenta considerablemente. En estos casos, sin ninguna duda, el método ideal es la ecografía, y en casos de duda, la mamo.

En Suecia (como en otros países de la comunidad europea) existe desde fines de los años ochenta un plan de detección precoz de cáncer de mama llamado "*screening*". Éste consiste en un plan desarrollado por el Ministerio de Salud y subvencionado por el Estado en el cual son invitadas mujeres asintomáticas a partir de los 40 años a realizarse un estudio mamográfico de rutina anual, y bianual a partir de los 50 años y hasta los 74. Este plan tiene muy buena aceptación por parte de la población femenina, con un índice de concurrencia mayor al 80%. De esta manera, el cáncer es encontrado con un tamaño tan pequeño que asegura un muy buen pronóstico para el tratamiento posterior.

Las estadísticas en Suecia de los últimos 10 años muestran claramente una disminución de la mortalidad por esta enfermedad entre un 30% y un 40 %. Esto se debe seguramente a la efectividad de los nuevos métodos de diagnóstico precoz y a la mejora en los tratamientos (quirúrgico y oncológico).

En resumen...

Si una mujer se palpa algo en una mama, no debe alarmarse pero si hacer algo al respecto. Hay que recordar que el 70% de los nódulos que se palpan en una mama son o terminan siendo hallazgos benignos (no cáncer).

El médico de cabecera, que se encargará de examinar las mamas, si lo considera oportuno indicará una mamografía que brindará una muy buena evaluación de lo que está pasando "dentro" del tejido y que si es necesario puede completarse con una ecografía. Muchas veces los estudios concluyen ahí... en otros casos se debe seguir investigando.

Triple diagnóstico

Dice el doctor Saracco: "Después de haber estado trabajando varios años en un hospital universitario en Suecia, me parece muy valioso transmitir lo que considero más importante de mi experiencia laboral en este lugar: la utilización del triple diagnóstico. Todo hallazgo palpable en una mama (haya sido encontrado por el paciente mismo o por el médico en una consulta) termina en un diagnóstico citológico, sin importar la edad o sexo del paciente. Como mencioné anteriormente, no existe aún ningún método de diagnóstico por imágenes que encuentre el 100% de los cánceres de mama. Por esa razón, todo paciente con un 'nódulo' palpable en una mama, a pesar de que éste no sea visible en los métodos convencionales de diagnóstico (mamografía y ecografía), es remitido al departamento de citología. Allí un médico citólogo toma una muestra de células por medio de una biopsia aspirativa de lo que se palpa. Afortunadamente, más del 99% de estas biopsias son negativas (tejido mamario normal)".

En nuestro país no existe un consenso unánime de hacer una biopsia a "toda" imagen aportada por la mamografía, sino que se reserva para aquellas que tienen carácter de sospecha, es decir, serían las de clase 4 o más de la clasificación de BI RADS, procedimiento que considero más lógico.

Lo nuevo. El futuro

Seguramente estamos ante nuevos desafíos de la tecnología que van a posibilitar mejores diagnósticos. Lamentablemente en nuestro país las cosas llegan más tarde a las grandes ciudades, y ni que decir de los rincones más alejados de los centros urbanos. Es responsabilidad del Estado proveer por lo menos del equipamiento mínimo (mamografía y ecografía) a los centros de salud, y obviamente de mantenerlos en uso con atención técnica periódica y provisión de insumos. La detección precoz no sólo salva vidas, sino que significa un ahorro inmenso en dinero y especialmente en angustia para las pacientes.

Volviendo a nuestro tema, el advenimiento de los medios de contraste en ecografía (microburbujas) nos presenta un nuevo mundo a explorar, orientado hacia la evaluación de tratamientos previos a una cirugía o considerado como una herramienta misma de tratamiento.

La mamografía digital, por su parte, nos permitirá no sólo disminuir la dosis de radiación utilizada para obtener las imágenes y su más rápida y mejor obtención, sino que también en el futuro estas imágenes podrán ser evaluadas y/o consultadas por otros especialistas residentes en sitios distantes de donde se efectuó el estudio, pudiendo mejorar los diagnósticos en claro beneficio para el paciente.

5. ¿Qué es el cáncer? El cáncer de mama

Para entender mejor este tema, explicaré en forma sencilla cómo es y cómo funciona una célula normal. A grandes rasgos se puede decir que consta de dos partes bien diferenciadas: el núcleo y el citoplasma. En el núcleo encontramos los cromosomas, que son las estructuras donde están ubicados los genes (ADN).

Los genes, que originariamente son aportados en partes iguales por la madre y el padre, poseen toda la información que le va a permitir a esa célula y a su descendencia cumplir funciones específicas.

Las células constantemente se están dividiendo para que los órganos crezcan o para poder reemplazar a aquellas lesionadas o muertas. En esos procesos de "copiado y duplicación" de genes inevitablemente se producen errores, que si no fuesen reparados se transmitirían a la descendencia con consecuencias gravísimas. En el organismo existen precisos sistemas de corrección celular que subsanan las fallas, pero en el caso de que no pudieran arreglarlas, las eliminan. Cuando por algún motivo no se repara o destruye a la célula que sufrió una transformación genética, estamos frente a una mutación.

Se llama mutación a las alteraciones que ocurren en la información contenida en los genes de las células de un individuo, y que habiendo superado los sistemas de corrección y eliminación se transmiten a su descendencia celular. Las causas de las mutaciones pueden ser múltiples. Cuando un elemento extraño a la célula produce las mutaciones, lo llamamos *noxa*.

Como he mencionado anteriormente, se han identificado un sinnúmero de elementos que pueden agredir a las células o a su entorno (noxas): tabaco, alcohol, virus, drogas, tóxicos, alimentos, factores ambientales, etcétera. Estos elementos pueden actuar directamente sobre la información genética (genotóxicos) o el medio ambiente celular, estimulando los receptores de los estrógenos (no genotóxicos).

Todos los seres humanos estamos expuestos a estas noxas, sin embargo, la mayoría de las personas no padecen cáncer. Indudablemente, además de estas mutaciones genéticas, y la falla de los sistemas de corrección, es indispensable la existencia de determinadas características en el individuo (huésped) que facilitarán la enfermedad (véase Factores predisponentes).

No sabemos por qué algunos de estos genes alterados son transmitidos de padres a hijos ni por qué se mantienen en silencio durante años o toda la vida ni cuál es el elemento que dispara la desenfrenada carrera de su reproducción celular. Tampoco sabemos por qué fracasan los mecanismos encargados de vigilar que estos fenómenos no ocurran, pero cuando fallan las barreras de defensa del organismo (inmunidad), se inicia el proceso llamado cáncer. Sea como fuere, una vez comenzado este proceso rara vez se detiene en forma espontánea.

La reproducción celular en estos casos es muy rápida, y las nuevas células se agrupan creando pequeños cúmulos llamados tumores. Los procesos de crecimiento celular llevan su tiempo; las células duplican su número geométricamente: una se divide en dos, luego en cuatro, ocho, dieciséis, y así sucesivamente. La primera duplicación (de una a dos) dura 30 días; la duplicación a cuatro, 60 días; a ocho, 90 días. Por este motivo, para llegar al tamaño de un centímetro cúbico (que tiene aproximadamente un billón de células) se tarda más o menos cinco años. Otros autores calculan que el tiempo de duplicación tumoral es de 75 a 130 días; de ese modo, para que un nódulo mida un centímetro cúbico llevaría 8 años.

Es indispensable aclarar que esto no es más que un modelo teórico, pues en la práctica diaria vemos tumores de crecimiento muy rápido y otros lentísimos. Una vez más debemos considerar a cada persona y su cáncer como una entidad única, con un comportamiento propio, en la que las estadísticas sólo nos ayudan a esperar una evolución más o menos previsible.

Esquema de reproducción celular

Si bien no está definitivamente estipulado, se cree que gran parte de los tumores de mama comenzarían siendo una alteración de las células llamada hiperplasia típica, que es una lesión benigna; luego, si se dan las condiciones que fueron comentadas anteriormente, podría transformarse en una hiperplasia atípica que todavía es benigna, y de allí evolucionar a un carcinoma *in situ* o invasor. Éstas dos últimas obviamente son malignas.

Hiperplasia típica > hiperplasia atípica > carcinoma *in situ* > carcinoma invasor

¿Por qué algunas alteraciones hacen este derrotero y otras no? ¿Por qué la mayoría nunca supera la etapa de la hiperplasia? O, ¿por qué otros tumores son tan agresivos que pasan por estos estadios muy rápidamente? Éstas son algunas preguntas para las que aún no tenemos las respuestas adecuadas.

Recordemos que en la anatomía normal de la mama existen dos estructuras primordiales: los conductos (ductos) y los lobulillos. La mayoría de los carcinomas se localizan en los conductos.

Como se esbozó antes, existen dos tipos de carcinomas: los invasores y los no invasores o *in situ*. Los invasores son aquellos que en su crecimiento superan las paredes de la estructura en la que encuentran y se expanden a los tejidos circundantes (ductales o lobulillares). Los carcinomas *in situ* nunca superan las paredes del sitio donde se desarrollan (aun teniendo un tamaño considerable).

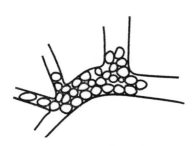
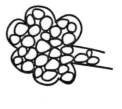

Esquema de una lesión intraductal (carcinoma ductal *in situ*)
e intralobulillar (carcinoma lobulillar *in situ*).

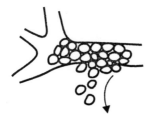
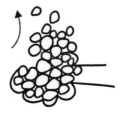

Esquema de lesión ductal invasora (carcinoma ductal infiltrante)
y lobulillar invasora (carcinoma lobulillar infiltrante).

Los invasores tienden a infiltrar los tejidos mamarios vecinos y a desprender grupos de células que llegarán a la axila por los vasos linfáticos. En los carcinomas *in situ*, entre el 5% y el 10% se extenderán más allá de la mama.

Cuando el tumor llega a tener un centímetro de diámetro, se corre el riesgo de que algunas células se desprendan y se diseminen por otras partes del cuerpo, dando lugar a lo que denominamos metástasis, es decir, una enfermedad a distancia del tumor original. Se estima que las posibilidades de que la enfermedad se disemine aumentan un 10% por cada 15 mm del tamaño tumoral.

Cuando nos referimos al cáncer de mama, la mayoría se localiza en el cuadrante supero-externo (por arriba y afuera del pezón), y a partir de allí (o de cualquier otra región), al primer lugar donde migrarán las células metastásicas es a los ganglios de la axila, ya que las vías linfáticas por las que "viajan" drenan primero en este sitio. Por eso es importante saber si estos ganglios están comprometidos o no, puesto que será un indicio muy importante sobre la diseminación de la enfermedad. Algunos autores sugieren que cada ganglio axilar con metástasis aumenta un 6% las chances de expansión a otros órganos. El estado ganglionar será uno de los indicadores que nos ayudará a elegir el tratamiento posquirúrgico más adecuado.

Afortunadamente, cada día se avanza más en la comprensión de los mecanismos que llevan al cáncer. Ya se identificaron varias mutaciones de genes que favorecen la aparición de la enfermedad y existen medidas de prevención que vale la pena conocer. Sin duda alguna, estamos muy cerca de una nueva etapa en el manejo de la patología.

Hasta aquí, la explicación "celular" más sencilla que pude brindar... PERO... sería absolutamente irracional a esta altura de los conocimientos creer que el cáncer ocurre solamente en las células involucradas.

Esta enfermedad, como cualquier otra, afecta a toda la persona (y también a su entorno, tema que trataremos luego). Es imposible seccionar a los individuos en partes y hablar libremente de órganos enfermos (mamas, hígado, próstata, etcétera). Los procesos biológicos de la reproducción de las células cancerígenas ocurren en distintas partes del cuerpo, aunque el escenario más visible sea el órgano comprometido. Sin duda alguna, a pesar de que muchos se empecinen en ver solamente a través del ojo de la cerradura, gran parte de la evolución de la patología se "discute" en el cerebro. Las implicancias de cualquier acontecimiento de la vida inducen respuestas del sistema inmunitario, hormonal y psicológico, y condicionan actitudes que tendrán que ver con la personalidad de cada uno: algunos son combativos, otros resignados, otros se escapan de la realidad; en fin, cada persona actuará de acuerdo con lo que fue edificando a lo largo de la vida.

Por fortuna, estas características personales pueden modificarse

Lograr un cambio de actitud con respecto a la enfermedad (cualquiera sea), involucrarse en los tratamientos curativos y comprometerse activamente en los procesos de sanación garantizan, sin duda, una mejor evolución. Los médicos y todo el equipo que atiende a la paciente con cáncer nos comprometemos con la curación, es decir que realizamos un certero diagnóstico, elegimos las mejores herramientas terapéuticas (cirugía, quimioterapia, radioterapia, etc.), pero necesitamos que la paciente quiera sanarse, que atienda a las cosas que le pasan en su interior y trate de alcanzar un estado de bienestar consigo misma. No es necesario que sepa mucho sobre la enfermedad o entienda algunas cosas, lo importante es que se sienta bien aunque su físico diga lo contrario.

Progresivamente la paciente deberá (si es que le parece razonable) tratar de integrar estas ideas a fin de lograr los mejores resultados. Cualquiera puede, no importa cuan arraigados estén sus preconceptos. Sólo hay que empezar a "rascar la cáscara" y de a poco se podrá lograrlo.

Por último, no existe una fórmula infalible. Hay muchos caminos que pueden conducir al mismo sitio, cada uno puede transitarlos si quiere, pero bajo ningún concepto se debe dejar de atender a las indicaciones del médico. Hay tratamientos que deben ser realizados, aunque parezcan agresivos o cruentos, ya que son las herramientas que los médicos tenemos para poder curar. La paciente debe tener confianza en el equipo que la atiende, aunque tiene todo el derecho del mundo a preguntar, averiguar e informarse.

Casos particulares de cáncer de mama

Cáncer de mama en el varón

Esta entidad no es frecuente. Su incidencia es muchísimo menor que en las mujeres (se estima que es del 1 por 1.000), pero los métodos de diagnóstico y tratamiento son similares.

Se manifiesta en la mayoría de las personas con un nódulo palpable, y en un pequeño grupo, por secreción del pezón.

Existen situaciones en el varón que aumentan el tamaño de las mamas, sin que ello signifique cáncer: en los adolescentes entre 13 y 17 años y en los mayores de 50 se puede desarrollar una hipertrofia mamaria que luego disminuye y desaparece en meses o años. Estos casos ocurren con relativa frecuencia, y obviamente no deben ser tratados con cirugía. También se puede observar ginecomastía en los hombres con trastornos hepáticos como la cirrosis o el alcoholismo, enfermedades en las que aumentan los niveles de estrógenos circulantes, y a menudo en algunos casos de carcinoma prostático tratados con hormonas. Lamentablemente, el incremento del uso de sustancias para mejorar el rendimiento físico en gimnasios y prácticas deportivas es otra causa habitual de ginecomastía. Los factores de riesgo para el cáncer de mama en el varón son: enfermedades testiculares, edad, historia de antecedentes familiares y ancestros judíos.

Muchas veces, a pesar de reconocer los nódulos u otros síntomas, los varones tienen temor o vergüenza de consultar porque suponen que son enfermedades privativas de las mujeres; sin embargo, en estos casos también la precocidad en el diagnóstico mejora las chances de curación. Los lugares indicados para consultar son los servicios de patología mamaria o de cirugía.

Los casos de cáncer mamario se tratan inicialmente con la extirpación del tumor y si fuese necesario de los ganglios de las axilas, pudiendo completarse luego con quimioterapia o radioterapia. En casos de metástasis, el tamoxifeno es de elección.

La evolución es muy similar a la de las mujeres. Se describió cierta tendencia heredo-familiar en los portadores de este cáncer, como en las mujeres, por lo que debe ser un dato a tener en cuenta.

Embarazo y cáncer de mama

Pocas situaciones vitales deben ser tan conflictivas y emocionalmente devastadoras como el embarazo (la conjunción de la manifestación más representativa de la vida) y la percepción del riesgo de la muerte que se asocia con el cáncer, tanto de la madre como la del ser por nacer.

Seguramente en estos casos, afortunadamente muy raros, la pericia del equipo médico y la entereza del matrimonio serán brutalmente puestas a prueba.

El cáncer de mama asociado con un embarazo es una entidad muy poco frecuente. Se estima que afecta a entre 10 a 30 mujeres por cada 100.000 embarazadas (10-30/100.000) y representa alrededor del 3% de todos los cánceres de mama.

Debido a la tendencia cada vez más marcada de posponer el embarazo, nos estamos enfrentando a un potencial aumento del riesgo, pero hasta el momento no se ha corroborado en las publicaciones científicas internacionales.

Los cambios fisiológicos de las mamas durante la gestación (mayor tamaño y turgencia) y la errónea idea de que no es el momento adecuado para hacer su examen conllevan un habitual retardo en el diagnóstico. Se debe recalcar que se pueden realizar los procedimientos diagnósticos habituales: las ecografías no tienen ninguna contraindicación y en el caso de ser imprescindible una mamografía se podrá proteger el abdomen de la embarazada con un delantal de plomo, que disminuye enormemente la irradiación uterina y no afecta al feto.

Históricamente se asoció al embarazo y al cáncer de mama con un peor pronóstico en comparación con el de mujeres no gestantes, pero está comprobado en distintas publicaciones científicas que esto no es así.

Como en todos los casos, pero especialmente en esta situación, sostengo firmemente que el diagnóstico y tratamiento debe realizarse en el seno de un equipo interdisciplinario y multidisciplinario, por la complejidad de las situaciones que tienen que ser evaluadas y en las que la decisión de las pacientes debe ser absolutamente respetada. Está claro que a veces la elección de un tratamiento puede derivar indefectiblemente en un conflicto madre-feto, porque puede priorizar la vida de uno sobre la del otro.

Aclaremos algunas dudas sobre el tratamiento: la terminación del embarazo no garantiza una mejora en las chances de curación, pero de acuerdo con el tiempo de gestación la quimioterapia o la radioterapia pueden ser fatales para el feto.

Como siempre, la correcta elección de la cirugía nos va a permitir comenzar el proceso de curación con solidez. Si bien es posible hacer una cuadrantectomía con extirpación de los ganglios de la axila (véase el capítulo sobre tratamiento quirúrgico), este tipo de cirugía (en los cánceres invasores) se debe continuar con radioterapia, que potencialmente puede inducir malformaciones fetales. Por este motivo, usualmente se comienza con una cirugía más agresiva como la mastectomía. *Insisto, la envergadura de la operación no está relacionada con un mejor o peor pronóstico, sino solamente con la imposibilidad de hacer radioterapia posterior. Posponer la radioterapia hasta la finalización del embarazo se relaciona con mayor riesgo.*

En cuanto a la quimioterapia, administrarla en el primer trimestre implicaría un altísimo riesgo para el feto. Algunos esquemas de drogas que se usan habitualmente se pueden indicar a partir del segundo trimestre, aunque sabemos que aumenta la incidencia de partos prematuros.

La decisión del momento oportuno para hacer la quimioterapia deberá ser cuidadosamente explicada a la madre y su pareja para que tomen la resolución que ellos consideren más acertada.

Obviamente, el equipo médico debe estar de acuerdo con aceptar esta resolución, con todo lo que ello implica. De no ser así, es imprescindible que sea expresado claramente antes de comenzar un tratamiento y se derive a la paciente a otro equipo profesional idóneo.

La cirugía puede hacerse con anestesia general, puesto que salvo casos excepcionales no afecta al embarazo.

Una vez terminado el tratamiento, la madre podrá dar de mamar, aun en el caso de haber recibido radioterapia. No podrá hacerlo si está realizando quimioterapia, pues algunos fármacos pueden pasar a través de la leche materna. Se han descrito muchos casos en que se pudo iniciar y mantener la lactancia en mamas irradiadas. La duración de este período no afecta en modo alguno la evolución de la enfermedad. Aún más, muchísimas publicaciones sostienen que amamantar a los bebés disminuye el riesgo, por el fortalecimiento anímico que se asocia con esta indestructible relación madre-hijo.

El tratamiento con tamoxifeno esta contraindicado durante la lactancia porque puede ser perjudicial para la criatura.

Con respecto al embarazo después de un cáncer de mama, la práctica clínica nos advierte que los riesgos de una recidiva de la enfermedad son mayores durante los tres primeros años después de haber terminado un tratamiento, y que este período debiera extenderse a cinco años en caso de que se tuvieran ganglios positivos (datos no definitivamente comprobados). De modo que lo más razonable sería tomarse ese tiempo para completar los tratamientos y las evaluaciones clínicas, y recién después iniciar la búsqueda de un nuevo embarazo.

Hasta hace poco, se pensaba que un nuevo embarazo conllevaría un aumento del riesgo de tener una segunda enfermedad o una recidiva relacionada con el normal incremento de los estrógenos durante la gestación. Hoy esa teoría ha perdido valor y sabemos que un nuevo embarazo no se relaciona con un riesgo mayor.

Por supuesto que lo recomendable es consultar con el equipo médico antes de tomar una decisión tan importante, y que no sólo se complete una evaluación clínica y psicológica, sino también que se asesore a la pareja para llevar adelante el embarazo con el mínimo riesgo.

6. El informe anátomo-patológico

Cuando recibimos a un paciente en consulta, realizamos el examen físico, interpretamos las imágenes de los estudios realizados y, de acuerdo con esa evaluación, elaboramos un diagnóstico clínico; pero, el *diagnóstico definitivo* lo dan los médicos patólogos luego de recibir una muestra de tejido. Esto se llama biopsia.

El material para una biopsia se puede obtener:

a) Por punción con aguja fina. Se utiliza una aguja similar a la de las inyecciones intramusculares, con la que se aspiran células.

b) Por punción con aguja gruesa (*core biopsy* o *mamotone*). Es una aguja especial con un mecanismo de corte que proporciona un cilindro de tejido (y no solamente células como la anterior).

c) Por resección en el quirófano de una parte o de la totalidad del tumor. Con este método tenemos aún mayor cantidad de tejido.

En nuestro medio las biopsias quirúrgicas (las que se describen en el punto "c") son las más comúnmente usadas. El anatomopatólogo arribará al diagnóstico intraoperatoriamente (por congelación), o luego de su revisión en el laboratorio (diferido). Si bien en nuestro medio las que más realizamos son las intraquirúrgicas, no siempre tendremos un diagnóstico concluyente en el momento porque algunas lesiones son muy difíciles de interpretar, y en esos casos es indispensable diferirlo. Indudablemente, para lograr la certeza absoluta del tipo de patología encontrada es más confiable el laboratorio, donde se pueden agotar todas las alternativas de estudio al alcance del médico.

Los patólogos reciben las biopsias y, luego de diferentes procesos de tintura y fijación, las cortan en delgadas laminillas que permitirán su observación en el microscopio. A veces, es necesario realizar complicadas determinaciones y pruebas de laboratorio antes de poder ponerle "nombre y apellido" a la lesión. *El único elemento de certeza para el diagnóstico de cáncer es el informe de la biopsia que redactan los médicos patólogos.*

Como se comprenderá, el anatomopatólogo es una de las piezas clave del equipo médico. De él depende la categorización del tumor, en la que se basará el tratamiento y permitirá establecer un pronóstico. La confianza que los cirujanos depositamos en los patólogos es absoluta, pues de su informe depende en gran medida la planificación de la cirugía.

Este documento usualmente es remitido al médico por el laboratorio o a través del paciente en un sobre cerrado. Considero indispensable que al enfermo se le informe detalladamente y en forma accesible el diagnóstico, porque a partir de este conocimiento podrá elaborar junto a su médico de cabecera una estrategia de tratamiento. Además, es la única forma de que confíe en que se le dice la verdad, y así podrá evaluar sus logros sin desconfianza ni temor.

Es común que las pacientes lean el informe antes de llegar a la consulta. Obviamente, como en la redacción del texto se usan términos médicos, no lo entienden y se cargan de angustia y preocupación. Es en este momento que se inicia la ardua tarea de explicarles con más detalle la realidad de la enfermedad y de tratar de cambiar las interpretaciones erróneas que además, en general, tienen la tendencia de adjudicar a la enfermedad una gravedad inexistente. También sería el momento ideal para que las pacientes comiencen a elaborar una lista de preguntas para el médico de cabecera, quien tratará de responderlas con las mejores explicaciones posibles.

En caso de diagnósticos positivos para neoplasias malignas se realiza una tipificación y estadificación de las mismas, siguiendo mandatos internacionales. La mayoría de los grupos médicos adoptan las de AJCC/IUAC (American Joint Comitee on Cancer / International Union Against Cancer). Esta estadificación es clave para incorporar a cada paciente en el protocolo de tratamiento adecuado. La clasificación de los tumores, denominada TNM, se hace de acuerdo con su tamaño (T), con la palpación de ganglios axilares (N) y la presencia de metástasis a distancia (M). Los patólogos, usando los mismos parámetros pero mejorando la precisión por el uso de la visualización directa de la lesión, de la microscopía y a veces de sofisticadas pruebas de laboratorio, elaboran un informe definitivo: el pTNM.

Clasificación TNM:

Tamaño	T
Carcinoma *in situ*	Tis
0 a 0,1 cm	Tmic
0,2 a 0,5 cm	1fu
0,6 a 1cm	1b
1 a 2 cm	1c
2 a 5 cm	2
Más de 5 cm	3
Cualquier tamaño con propagación a pared torácica o piel, o cáncer inflamatorio	4

Ganglios axilares	N
No se palpan	0
Axilares, aislados, móviles	1
Axilares fijos entre sí	2
Ganglios de la cadena mamaria interna	3

Metástasis	M
No hay evidencia	0
Evidencia	1

Teniendo en cuenta el TNM, se puede clasificar la enfermedad en estadios:

TNM	Estadio
Tis NoMo	0
T1 NoMo	I
T1 N1Mo	IIA
T2 NoMo	IIA
T2 N1Mo	IIB
T3 NoMo	IIB
T1 N2 o T2 N2	IIIA
T3 N1 o N2	IIIA
T4 cualquier N Mo	IIIB
Cualquier T o N M1	IV

Por ejemplo, la palpación de un tumor menor a dos centímetros de diámetro, aparentemente sin ganglios en la axila y sin metástasis, será un T1NoMo. Si los parámetros microscópicos coinciden con los clínicos, se llamará pT1NoMo.

Cuando logremos categorizar a la enfermedad en estadios y complementemos esta información con otras características del tumor descriptas por los patólogos, decidiremos una estrategia de tratamiento que podrá incluir radioterapia, quimioterapia, tratamientos hormonales y/u otros.

SEGUNDA PARTE

Cómo sigue la vida después del diagnóstico[*]

[*]A partir de estas líneas, comenzará una nueva sección del libro que dedico especialmente a la paciente con cáncer de mama. Por eso, con el permiso del resto de los lectores, me permitiré hablarle directamente a ella, para acompañarla y dialogar desde estas páginas sobre su enfermedad.

7. Tengo el diagnóstico: cáncer de mama

Hay cosas a las que no me puedo acostumbrar a pesar de que lo tengo que hacer a menudo, como informarle a una paciente que tiene cáncer de mama. Cada vez que enfrento esta situación, no dejo de pensar en qué ideas estarán pasando por la cabeza de mis interlocutores. Sin duda, desazón, sensación de vacío, de caída libre... Estoy seguro de que muchísimas veces las enfermas reciben esta noticia creyendo que se trata de su sentencia de muerte, pero ¡¿cómo logro en ese momento convencerlas de que están equivocadas?!

Indudablemente es imposible hacerlo en la consulta en la que doy el diagnóstico, y estoy convencido de que tampoco es fácil en el transcurso de las siguientes entrevistas.

Hay tantas preguntas para hacer, muchas decisiones por tomar, cosas que charlar, en fin, un sinnúmero de situaciones que deben ser contempladas. Pareciera que el tiempo nunca será suficiente.

En nuestro país los sistemas de salud, tanto públicos como privados, conspiran para que el médico pueda brindar toda la información y las explicaciones que sin ninguna duda necesitan todos los pacientes. Es imposible frente a este tipo de enfermedades tener una entrevista de muy poca duración y a las corridas. De alguna manera, cada paciente, junto con su médico de cabecera, tendrá que encontrar la manera de liberarse del candado que le impone el sistema burocrático.

Es indispensable que usted tenga información clara y precisa sobre su enfermedad, sobre las distintas alternativas de tratamiento y sobre todas las herramientas que la ciencia le ofrece para curarse. Éste es uno de los motivos por los que escribí este libro, para que lo pueda leer en su casa, con tranquilidad, avanzando y retrocediendo cuantas veces quiera, y después pueda preguntarle a su médico de cabecera todo lo que desee.

Es necesario que trate de leer este capítulo y los siguientes sin prejuicios, sin sentirse agredida o juzgada (ni nada que se le parezca), que abra la mente a lo que está escrito y fundamentalmente que no malinterprete algunas palabras. Notará que a medida que transcurra la lectura, el uso de algunas frases o términos podrán parecer "fuertes", agresivos, descarnados, fuera de lugar. Pero es importante que comprenda que hay cosas que se deben llamar por su nombre y que no existe otra forma de expresarlas. Eso no quiere decir que al principio no produzca "cosita" ver escritas las palabras "cáncer", "sobrevida", "quimioterapia", porque en general no forman parte del vocabulario normal de la mayoría de las personas, y su mención nunca va más allá de lo meramente anecdótico.

Hoy probablemente es el inicio de un camino en el que estas palabras serán de uso cotidiano, por lo tanto quiero explicar claramente el significado de cada una de ellas y dar cuenta de lo que representan. Así, cuando tenga que decidirse por alguna terapia, podrá hacerlo pensando en que la enfermedad *es del que la padece*, que la forma de enfrentarla es de su *responsabilidad y derecho*, que la elección del equipo médico y el tratamiento *es suya e indelegable*, que *nadie puede decidir por usted* ya que se trata de *su vida*. Si está correctamente informada, podrá asumir estas responsabilidades.

Otra recomendación es que se borre de su cabeza que el cáncer es igual a la muerte... ¡Nada más equivocado! Sin que usted piense que estoy loco de atar, espero que al finalizar la lectura haya descubierto que cáncer también significa empezar a vivir de nuevo. Se trata de un fenomenal momento para darse una nueva oportunidad, para brindar a los que ama todo aquello que siempre quiso y no se animó, para decidirse a hacer eso que siempre soñó. Tal vez para ser un poco más "egoísta" y pensar en usted misma como nunca lo hizo antes. Hay situaciones en la vida que nos obligan a replantearnos muchas cosas. Los que pueden edificar un nuevo porvenir con optimismo y alegría tienen indefectiblemente una evolución mucho mejor que los que se sientan a llorar por los rincones y no se animan a pelear, a soñar con vivir.

Entienda además que cuando los médicos hablamos de tasas de curación, índices de sobrevida, porcentajes de recidiva, etc., nos referimos a los valores estadísticos que tiene una enfermedad para evolucionar de una u otra manera, pero de ningún modo significa que podemos incluirla en esos números. *Cada persona es única y diferente del resto*, no existen recetas que digan qué hay que hacer en cada caso. Por eso cuando hablamos de tiempos, recaídas o pronósticos, es fundamental que sepa que usted no es un número y que no debe considerarse como tal.

Cada paciente es un ser inmerso en su historia personal, familiar y social, con su cultura y costumbres. Nosotros, como médicos, trataremos de identificar a cada una y de combinar los mejores tratamientos quirúrgico-oncológicos con el apoyo psicológico, la fisioterapia, el cuidado de la imagen física y de las relaciones personales. *Los trata-mientos deben adaptarse a la idiosincrasia de las personas, ofreciéndoles en todos los casos las mejores vías para acceder a la curación, brindando todas las alternativas para que pueda servirse de ellas, respetando sus decisiones y explicando claramente la conveniencia de cada uno de los pasos terapéuticos propuestos.*

Estas páginas pretenden ser un canto a la vida, y la vida sólo se puede vivir en libertad. A su vez, la libertad surge del entendimiento y de la comprensión que le permitirán decidir cuál es el mejor camino a transitar. Probablemente le sorprenda esta propuesta, porque en nuestro medio, en general, estamos acostumbrados a que los médicos sean los encargados de elegir el tipo de cirugía y el resto de los pasos a seguir durante el tratamiento. Sin embargo, insisto, si usted es adecuadamente informada y asesorada, podrá asumir la decisión que considere conveniente.

Todos tenemos mitos y prejuicios que damos por ciertos. Trate de despojarse de los preconceptos que muchas veces están fundados en información equivocada y confíe en el equipo que eligió para que la asista. La información va a ayudarla, confíe en su equipo médico y requiera de él lo que necesita. No es que deba transformarse en una erudita en cáncer de mama, pregunte lo que le interesa, pero especialmente investigue lo que puede manejar. El resto déjelo en manos de profesionales.

Tal vez pensará que el tiempo necesario para poder leer y entender esta propuesta le va a restar éxito al inicio inmediato del tratamiento, pero no es así. *Es esencial que se tome un tiempo para reflexionar y decidir. Esto forma parte del tratamiento, pero lo que es más importante, también de su vida.*

La urgencia propia y también de nuestro entorno para comenzar las terapias cuanto antes no siempre es real. Ninguna enfermedad se agravará porque dedique un par de semanas para estudiar la información recibida y realice las interconsultas que crea necesarias.

En este punto me detendré brevemente. *El paciente tiene derecho, y hasta diría la obligación, de recibir una segunda opinión médica sobre su enfermedad.* Ningún profesional debiera molestarse porque un paciente desee hacer una nueva consulta. Si lo solicita, se le deben entregar todos los informes pertinentes, incluso los preparados de anatomía patológica que tiene en su poder el médico patólogo, para que pueda cotejar las opiniones de uno y otro.

El médico tratante debe tener en claro lo que le pasa a esa persona, que en general hasta ese momento no tenía motivo de preocupación por su salud y que a partir del diagnóstico debe enfrentarse a las cirugías y otros tratamientos que inevitablemente alterarán su calidad de vida.

Para la elección del equipo médico se deberá tener en cuenta su idoneidad, que sus miembros estén altamente entrenados en su tarea y que ofrezcan soluciones a todas las alternativas del tratamiento, como veremos más adelante.

Es importante desde el inicio que reconozca que ésta es una enfermedad con manifestaciones físicas y psíquicas, y que los médicos en general estamos más acostumbrados a los cambios del cuerpo que a los del espíritu. A menudo no podemos darnos cuenta de las cosas "que le pasan por dentro". Es importantísimo que nos ayude a entenderlas, pues nuestra tarea es reconfortarla en cuerpo y alma.

El cáncer, una vez diagnosticado, se incorpora a la historia de su vida que se inició desde antes del nacimiento y hasta la actualidad, ya que involucra a sus padres, hermanos, a otros parientes y a sus amigos, compañeros de trabajo, conocidos, etc. Todos ellos han colaborado para que usted sea lo que es, sin embargo, ahora este nuevo convidado de piedra se suma como un viajero no deseado a su camino. ¿Qué hacer? ¿Negarlo, odiarlo, entenderlo, combatirlo, entregarse?

En primer lugar debe saber que luego de recibir esta noticia la mayoría de las personas se sumergen en un estado de ansiedad y depresión que se manifiesta de distintas formas: insomnio, diarrea, indiferencia, llanto, palpitaciones, anorexia, desinterés, etc. Luego, a medida que rearman sus defensas, vuelven a sentirse en condiciones de luchar y de seguir viviendo.

Su vida continúa, éste no solamente no es el fin, sino que es el inicio de un nuevo acto en la obra de la vida que usted protagoniza. ¡No se pierda la función!

8. La segunda opinión

Después de confirmar el diagnóstico, el médico planifica un esquema de tratamiento. Usualmente comienza con una cirugía que puede, o no, ser seguida de quimioterapia / radioterapia, o en el orden que el profesional considere adecuado para la paciente.

Ahora bien, cada enferma se preguntará: ¿es ése el mejor tratamiento para mí? Esta duda, casi inevitable, muchas veces es acompañada por un sentimiento de culpa, ya que es vivida como una "traición" a la idoneidad del médico tratante. El temor es que el doctor se entere y lo considere una falta de confianza en él, y que por ese motivo se perjudique el tratamiento.

En realidad, mi opinión es que usted NO SÓLO TIENE DERECHO a tener una segunda opinión, sino que TIENE LA OBLIGACIÓN de solicitarla. Recuerde que si usted DEBE "hacerse cargo" de su enfermedad y combatir contra ella, no solamente necesita toda la información posible, sino también poder cotejar distintas posturas para elegir la que considere mejor.

El doctor Pedro Politti, oncólogo y amigo, a quien respeto profundamente por su formación académica, expresó muy claramente lo que se debe esperar de una segunda opinión:

- Que sea realmente *independiente*. No debe tener compromisos con el colega que emitió la recomendación inicial (no debe transformarse en una copia al carbónico de la *primera opinión*).

- Que sea *profesional*. Debe evaluar cuidadosamente al paciente, revisar los estudios efectuados y recomendar un curso de acción en forma imparcial y según las normas internacionalmente aceptadas en la especialidad.

- Que sea *clarificadora*. Debe haber suficiente tiempo para escuchar las dudas y preocupaciones del paciente, explicar los motivos de las confusiones aparentes, aclarar las dudas y brindar un panorama inteligible.

- Que utilice un *enfoque singular* para ese paciente individual. No todos somos iguales, y "no hay enfermedades, sino enfermos", como dice el aforismo médico. Cada persona es un mundo y, del mismo modo, las recomendaciones deben tener en cuenta esa singularidad.

- Que sea *constructiva*. Debe focalizarse en lo que hay que hacer para sacar al paciente adelante. No tiene sentido aprovecharse de la posición privilegiada de consultor para criticar lo actuado sin motivos. Debe efectuar un señalamiento útil para solucionar y encarrilar el problema, en las condiciones en que se encuentra.

- Que sea *humana*. Debe poder sintonizar con la angustia y el sufrimiento, con la carga de tensión que el paciente trae a la consulta.

- Que sea *eficiente*. Se espera que colabore con el colega para ordenar el plan, refrendarlo tal como está, si eso es lo correcto, o introducir modificaciones, con el único objetivo del bien del paciente.

¿Cómo buscar (y obtener) una buena segunda opinión?

Comience preguntándole a su médico: ¿a quién recomendaría para una segunda opinión? Converse con otros pacientes sobre cuál ha sido su experiencia.

Fíjese en los antecedentes de los candidatos: ¿tienen capacitación en un centro internacional de primera línea?, ¿se mantienen actualizados?, ¿investigan?, ¿tienen una trayectoria reconocida por sus colegas?, ¿han solucionado correctamente otras situaciones?

¿Cómo obtener el mejor rendimiento de una consulta de segunda opinión?

- Asegúrese de tener a mano la documentación y los estudios importantes, en especial: informes de biopsias o de operaciones, detalle de los tratamientos recibidos (y sus fechas), estudios recientes y anteriores (de modo de facilitar una comparación y estimar si la evolución es la deseable o si una imagen es nueva o antigua).

- En lo posible, agende los teléfonos de los médicos que llevan adelante su tratamiento, para facilitar consultas en el momento.

- Pida una carta dirigida a su médico tratante en la que se explique cuáles son las sugerencias planteadas en la segunda opinión.

- Una vez que haya recibido esta información, llega el tiempo de tomar decisiones. No debe apresurarse ni elegir aquella que le parece menos complicada para usted, sino la que considera más eficaz. Piénselo, medítelo y luego tenga una nueva entrevista con su médico tratante para clarificar las últimas dudas.

Es probable que usted no se considere capacitada para tomar decisiones y quiera dejar todo en manos del profesional, pero muchas veces esa es una manera de no asumir la responsabilidad. Cualquier persona adecuadamente informada de los pros y las contras de las diferentes instancias que se pudieran plantear puede resolver el dilema. No debe olvidarse de que es SU vida la que está en juego y, por lo tanto, la decisión más importante está en sus manos.

9. La cirugía

Antes de referirme a los tratamientos quirúrgicos del cáncer de mama, creo indispensable explicar brevemente la anatomía de la región mamaria y sus vías linfáticas de drenaje.

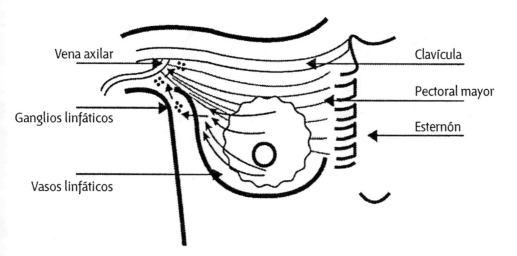

El tratamiento local de la enfermedad es esencial, y la cirugía es uno de los medios más eficaces para lograrlo (si se realiza una buena elección del tratamiento de inicio, se obtendrán mayores chances de curación).

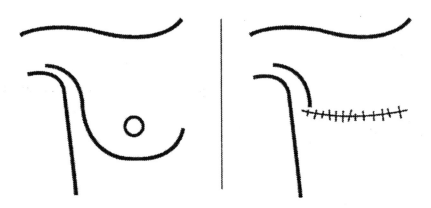

Esquema representativo de una cuadrantectomía con vaciamiento axilar

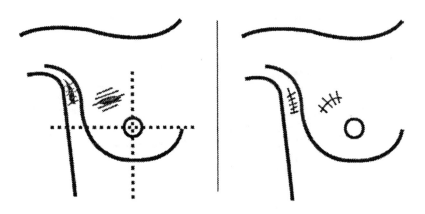

Esquema representativo de una mastectomía

Los procedimientos más usados son la cuadrantectomía, que es la resección del sector donde está asentado el tumor, y la mastectomía, que es la extirpación de toda la glándula mamaria con el pezón incluido.

En los inicios de la medicina, la extirpación del tumor mamario era el tratamiento de elección. A partir de 1865, tal como lo describió brillantemente Halsted, se amplió este procedimiento quirúrgico, extirpándose toda la mama y aquellos lugares que dada su proximidad con el tumor se suponía que estaban afectados por el cáncer. Es decir, se trataba de una mastectomía que incluía la extirpación de los músculos pectorales y el vaciamiento de toda la grasa del hueco axilar, en cuyo interior se encuentran los ganglios a los que drena la linfa de la mama.

En 1981, el brillante médico Umberto Veronesi publica sus trabajos en Milán, en los que compara la sobrevida de pacientes a los que les realizó mastectomía según la técnica de Halsted con respecto a la de aquellos a los que les realizó la cuadrantectomía con vaciamiento axilar seguido de radioterapia, demostrando que no existía diferencia en la evolución y sobrevida entre los dos grupos.

Esta importantísima conclusión fue ratificada en octubre de 2002 en dos publicaciones del mismo U. Veronesi y B. Fischer (de Estados Unidos), en las que presentan su experiencia luego de practicar este tipo de cirugía durante 20 años.

Este hecho histórico cambió radicalmente el enfoque quirúrgico del tratamiento del cáncer mamario, pues a partir de entonces se están ensayando distintas técnicas que tienden a minimizar las resecciones, la duración de las anestesias, el tamaño de las cicatrices, el tiempo de permanencia hospitalaria y la disminución de las enfermedades asociadas con la internación, con los mismos o mejores resultados que los de las grandes cirugías.

Sin embargo, no todos los tumores se pueden tratar de esta manera. Quedarían excluidos los de más de 4 o 5 cm de diámetro, los que involucran el pezón y/o la aréola, los de gran agresividad celular, los que están ubicados en diferentes cuadrantes de la mama, los que ocupan gran parte de la glándula. También aquellas pacientes que no pueden hacer controles de seguimiento periódico, y otras situaciones especiales. Las que estén incapacitadas para ser tratadas de este modo podrán efectuar tratamiento radiante.

Si el tumor que se reseca es un cáncer invasor, se debe hacer una extirpación (vaciamiento) de los ganglios de la axila, y si se encuentran células neoplásicas (metástasis) en su interior, se indicará quimioterapia. De acuerdo con la cantidad de ganglios con metástasis se elegirán las drogas y dosis a usar.

En la axila los ganglios se agrupan en tres niveles. En general existe consenso en que la diseminación de las células tumorales empieza en el primero, luego pasa al segundo y finalmente al tercero. Los viejos tratamientos halstedianos incluían la extirpación de todos los ganglios, por lo que se interrumpía la normal circulación de sangre y linfa entre el brazo y el tórax y un tiempo después muchas pacientes presentaban hinchazón del brazo (linfedema). Hoy sabemos que al resecar el primer y el segundo nivel, logramos el mismo resultado y se disminuyen las complicaciones posteriores.

Debe quedar claro que la extirpación de los ganglios axilares sirve para evaluar la diseminación del tumor, decidir la conveniencia de realizar quimioterapia y establecer un pronóstico. Pero no es un tratamiento en sí mismo, ya que su remoción no altera la evolución de la patología, salvo en los casos de enfermedad muy avanzada en que puede llegar a ulcerarse la piel o cuando el tamaño de estos ganglios dificulta la circulación entre el brazo y el cuerpo (situaciones rarísimas). Las publicaciones sobre el tema demostraron que es idéntica la sobrevida de pacientes a las que se les extirparon los ganglios comparada con aquellas en las que no se hizo esta cirugía. Es por eso que últimamente se está pregonando la utilización de la biopsia del ganglio centinela, que es el primero al que llegan las células desprendidas del tumor mamario. Para encontrarlo se debe inyectar cerca del tumor un compuesto de sustancias radioactivas y/o colorantes que viajarán por los vasos linfáticos hasta el primer ganglio de la cadena axilar, al que se identifica y reseca. Si no tiene metástasis, se considera que los demás también están libres y allí se detiene la disección.

Un párrafo especial merecen los carcinomas *in situ* y los invasores menores de medio centímetro, pues las estadísticas señalan que en estos casos el compromiso de la axila es entre el 5% al 10%. En estos casos se debe evaluar detenidamente la necesidad de hacer esta cirugía. De todos modos, cada paciente una vez informada deberá decidir qué actitud tomar.

Para completar el tratamiento local de la enfermedad, luego de la cirugía se debe hacer radioterapia (véase el capítulo siguiente).

Evolución posquirúrgica

A menudo, luego de una cirugía con vaciamiento axilar, las pacientes se quejan de dolores en la parte interna del brazo, en la parrilla costal y también a veces en el hombro. Ocurre que durante el acto quirúrgico se seccionan o tocan varios nervios, por lo que quedan sensaciones de cosquilleo, electricidad, pesadez o la suma de varias de ellas, que pueden durar varios meses y que se atenuarán en forma progresiva.

También es frecuente que, luego de sacar el drenaje que se coloca después de la cirugía, se junte líquido en la zona de la axila. Si es necesario, se puede extraer mediante una punción con aguja y jeringa o a través de un pequeño corte en las cercanías de la cicatriz.

Al extirparse parte de los ganglios, se debe tener en cuenta que se alteran las vías normales de drenaje de la linfa y también las estaciones que actúan como "filtro" (los mismos ganglios), por lo que se tiende a retener linfa y esta retención se manifiesta como un edema o hinchazón del brazo (linfedema).

Ejercicios físicos

Para facilitar la recuperación de la movilidad y restaurar más rápidamente la circulación, se proponen varios ejercicios físicos que sin ninguna preparación especial puede realizar en su casa. Los describiré para que pueda hacerlos una vez que el cirujano se lo permita, tratando de empezar lo antes posible. Se debe progresar lenta pero firmemente en su duración e intensidad:

1- Consiga una pelota de goma pequeña, similar a las que se usan para jugar a la paleta en la playa, y apriétela cerrando la mano no menos de diez veces.

2- "Limpiar vidrios": mueva el brazo en forma circular como si estuviera limpiando un vidrio, primero hacia fuera y luego hacia adentro, en forma alternada, diez veces hacia cada lado.

3- "Peinarse": pásese la mano por la cabeza como si se estuviera peinando de adelante hacia atrás, teniendo especial cuidado en no bajar la cabeza. Diez veces.

4- "Abrocharse el corpiño": lleve las manos hacia atrás y júntelas en el medio de la espalda, tratando de que esta unión pueda lograrse cada vez más arriba. Diez veces.

5- "Subir por la pared": extienda los brazos por encima de la cabeza, ubicándose lo más cerca posible de la pared y tratando de alcanzar progresivamente mayor altura. Haga marcas en la pared con un lápiz cada vez que supere la anterior. Diez veces.

6- "Empujar mano contra mano": coloque las palmas de las manos juntas frente al cuerpo y empuje una contra otra. Percibirá que se contraen los músculos pectorales. Diez veces.

7- "Juntar los codos": ponga las manos detrás de la nuca y los codos para afuera (paralelos a los hombros), y llévelos para adelante hasta que los codos se toquen. Diez veces.

8- "Palo de amasar I": tome un palo de madera (como los de escoba), extienda los brazos al frente y llévelos lentamente por encima de su cabeza. Trate de llegar lo más atrás posible. Diez veces.

9- "Palo de amasar II": una vez que logró sostener el palo por encima de su cabeza, llévelo hacia un costado y luego al otro, tratando de mantener las piernas separadas y sin flexionar. Diez veces.

10- "Las poleas": consiga una barra vertical que esté a más o menos un metro por encima de su cabeza. Pase una soga y tómela de cada extremo, traccionando de un brazo y estirando el otro sucesivamente. Diez veces.

Estos son algunos ejemplos simples que pueden hacer todos los pacientes. Trate de realizarlos por lo menos tres veces al día. Si lo desea, también puede consultar con un kinesiólogo para agregar masajes a esta rutina, para hacer movilizaciones pasivas o para que le enseñe nuevos ejercicios.

10. La terapia radiante

La cirugía del cáncer de mama tiene por finalidad extirpar el tumor y la zona que lo rodea (margen de seguridad), pero es imposible asegurar que hemos sacado la lesión por completo y que no quedó ninguna célula del tumor en la zona operada.

A fin de lograr la "esterilización" del lecho quirúrgico y del resto de la mama, se indica la radioterapia. En los casos en que se practicó una cuadrantectomía, existe un consenso generalizado de complementarla con tratamiento radiante, porque así se disminuye notoriamente la posibilidad de una recidiva local, que es la reaparición del tumor en el mismo lugar de donde fue extraído, y también disminuye la chance de una nueva neoplasia en esa mama enferma.

La recidiva del tumor en la mama operada seguida de radioterapia es de aproximadamente el 5%, mientras que en las operadas sin radioterapia es de alrededor del 30%. Si se comparan las tasas de sobrevida entre las mastectomizadas y las que hicieron cuadrantectomía más radioterapia, encontraremos resultados muy similares, por lo que tratar de conservar la mama es el objetivo a alcanzar.

Recurrencia local en pacientes cuadrantectomizadas (C) contra las cuadrantectomizadas e irradiadas (C+RT)

ESTUDIO	C	C+RT	REDUCCIÓN (%)
NSABP B-06	36%	12%	67%
Ontario	35%	11%	69%
Escocia	25%	6%	76%
Milán	24%	6%	75%

En las pacientes mastectomizadas generalmente no se realiza radioterapia, salvo que el tumor sea muy agresivo, se sospeche que haya infiltrado el músculo pectoral o, según algunos autores, se encuentren más de tres ganglios axilares con metástasis. La radioterapia axilar puede ser útil si se sospecha enfermedad localmente agresiva.

Aunque se tomen todas las precauciones necesarias, no es posible saber si existen células cancerosas en algún otro conducto no extirpado, por lo que se proyectan rayos radioactivos al resto de la mama para destruir las células tumorales que podrían estar reproduciéndose. Esto se logra con un aparato que produce un haz de rayos que se dirigen, con absoluta precisión, a un lugar preestablecido por un sistema de computación evitando que otras zonas se irradien por accidente o error. Por este mecanismo los rayos afectan al ADN de las células tumorales, ocasionándoles el daño suficiente como para destruirlas.

La terapia radiante dura aproximadamente treinta minutos en cada sesión diaria (de lunes a viernes) y el tratamiento completo lleva aproximadamente seis semanas, pero el tiempo real de irradiación es de sólo unos escasos minutos. El procedimiento se inicia delimitando la zona a irradiar marcándola en la piel con un tatuaje que servirá de referencia para dirigir los rayos. Este procedimiento se hace con un simulador que mediante cálculos de computación establece el sitio exacto a tratar y la dosis necesaria.

La habitación donde se hace la radioterapia se cierra una vez que comienza el tratamiento, pero hay ventanas o cámaras de televisión a través de las cuales usted es permanentemente observada para atenderla inmediatamente en el caso de que necesite algo. Es indoloro, muy similar a cuando se saca una radiografía.

Existen muy pocas contraindicaciones para este tratamiento, que usualmente es de muy buena tolerancia, y en muchos casos se puede hacer en forma simultánea con la quimioterapia. Durante el tratamiento, usted no es una "fuente" de radiación: puede acariciar a los demás, dar besos, tener relaciones sexuales, tomar mate, etc., sin que su entorno corra peligro.

La radioterapia, al no tener selectividad, también matará otras células normales. Estas muertes celulares se acompañan de un aumento de detritos tóxicos que el organismo se debe encargar de eliminar, por lo que es un muy buen momento para incorporar en la dieta vitaminas y minerales que ayudarán en esta tarea, realizar ejercicios físicos moderados y evitar todas las sustancias tóxicas posibles: cigarrillo, alcohol, rayos ultravioletas, etcétera.

Los efectos adversos más comunes son:
1. Dermitis: es una inflamación temporaria de la piel de la mama que afecta a la mayoría de las pacientes, alterando su color y textura, y cuya recuperación ronda el 90%. También,

luego de la primera docena de sesiones puede aparecer una secreción acuosa en el área de la aréola.

Es importantísimo utilizar una crema de uso diario para mantener la piel hidratada, disminuir la inflamación, facilitar la eliminación de radicales libres y promover la reparación cutánea. Un tradicional y efectivo remedio casero consiste en cortar al medio una hoja de planta de aloe vera, rasparla con un cuchillo y aplicar la pasta resultante sobre la zona irradiada diariamente. El resto de la hoja se puede guardar en la heladera para ser utilizada al día siguiente.

Preocupado por las dificultades que se presentaban en la piel de mis pacientes, y ante la falta de un producto específico en el mercado farmacéutico que realmente mejorara estos síntomas, decidí reunirme con un grupo de prestigiosos bioquímicos y dermatólogos para tratar el tema. Luego de innumerables ensayos, logramos una crema que cumpliera con todos los requisitos necesarios para desinflamar e hidratar y a la vez actuar firmemente sobre los tóxicos residuales locales de la radioterapia (radicales libres). Esta fórmula magistral de la crema es conveniente usarla desde el primer día del tratamiento y prolongar su uso hasta una semana después, aplicándola generosamente dos veces al día.

Le sugiero que no use perfumes ni apósitos adherentes, y que no se exponga al sol hasta un año de terminado el tratamiento. Si necesitara rasurar las axilas, utilice afeitadoras eléctricas.

2. Decaimiento y cansancio: se deben a la destrucción de los glóbulos blancos y rojos que pasan con la circulación por el lugar donde se reciben los rayos, más las sustancias tóxicas producidas por la muerte celular. Por este motivo deberá adaptar la actividad física a sus fuerzas. Es muy importante que trate de descansar todo lo que pueda para recuperarse más rápidamente.

3. Dieta: es esencial tener una buena alimentación, variada, completa y rica en anti-oxidantes. Es muy posible que no tenga muchas ganas de comer. En ese caso puede suplementar los antioxidantes con la fórmula magistral que se describe en el capítulo pertinente o una similar.

4. Vestimenta: trate de que sea holgada, sin elásticos, especialmente en el lugar donde recibe los rayos.

5. Estado de ánimo: es normal que tenga una sensación de astenia, desgano, pérdida de interés. Son reacciones habituales y transitorias.

6. Pulmón: rara vez se puede afectar el pulmón, y en esos casos el síntoma más frecuente será una tos persistente y algo molesta que cede con el tiempo.

11. La quimioterapia

Cuando existen sospechas o evidencias de que la enfermedad se ha diseminado fuera de la mama, hay que realizar quimioterapia, un tratamiento con drogas cuya finalidad es destruir estas metástasis. Generalmente se administran por vía intravenosa, usualmente cada tres semanas durante seis meses.

Para determinar qué pacientes recibirán quimioterapia se usan varios parámetros, la mayoría de los cuales provienen del informe del anatomopatólogo.

Uno de ellos es el tamaño del tumor. Como dijimos, los menores de 1 cm de diámetro tienen pocas posibilidades de diseminación (metástasis).

Otro parámetro es el tipo de células, su potencial reproductivo y grado de madurez biológica, y además la invasión de pequeños vasos sanguíneos o de nervios peri-tumorales, la presencia de receptores para estrógenos y/o progesterona y el estado de los ganglios linfáticos.

Con todos estos datos, más otros referidos al paciente en particular, se estatifica la enfermedad con parámetros internacionalmente establecidos que permitirán evaluar los beneficios de la quimioterapia u otros tratamientos complementarios.

Los tratamientos más usados son una combinación de drogas llamadas ciclofosfamida, metotrexate, 5-fluoruracilo y adriamicina, aunque existen otras nuevas que están en distintas etapas de investigación.

Los "cócteles medicinales" empleados en la quimioterapia tienen como primer objetivo la destrucción de las células cancerígenas que presentan una tasa de crecimiento y reproducción más activa que la del resto, por lo que son destruidas en sus etapas de desarrollo. El inconveniente radica en que al carecer de especificidad muchas células normales del organismo sufren sus acciones. De allí que las pacientes tengan una serie de efectos adversos que alteran transitoriamente su calidad de vida.

A la muerte de las células cancerígenas, se asocia la disminución de los glóbulos blancos y de otros componentes del sistema inmunitario que pueden favorecer el contagio de enfermedades infecciosas, junto con un aumento de los desechos tóxicos que el organismo debe eliminar. Es indudable que este momento crítico debe ser acompañado de medidas protectoras que nos ayuden a superarlo de la mejor manera.

Los pacientes usualmente llegan a este tratamiento pensando que es la peor alternativa que les toca enfrentar. El folclore popular, muchas veces erróneo, lo relaciona con un calvario que incluye náuseas, vómitos, decaimiento, caída del cabello, y todos los infortunios del universo juntos. Debo ser honesto y reconocer que habrá situaciones incómodas, pero también es cierto que la medicina actual cuenta con herramientas que permitirán disminuir los síntomas hasta hacerlos absolutamente tolerables. Si esto se asocia con una actitud positiva, se logrará superar este tratamiento sin inconvenientes ni secuelas futuras. Entiéndame bien: no quiero cargarla con otra responsabilidad, sino asegurarle que cuanto mejor preparados estén su cuerpo y su espíritu, tendrá menos problemas.

Es indispensable un reordenamiento de las tareas laborales y domésticas, para que las cosas resulten más sencillas: no es sensato que siga con el ritmo de actividad que tenía hasta empezar la quimio. Esto requiere dedicar tiempo a charlar con los suyos, poner las cosas en claro, explicarles qué necesita de ellos, proponerles que en esta etapa también sean protagonistas y no sólo meros espectadores. No se crea omnipotente ni la elegida para cargar en este momento con todos los sufrimientos de la humanidad... ¡¡¡Bájese del caballo y pida ayuda!!!

Con sus empleadores las circunstancias son parecidas. Por supuesto que no le pedirá a su jefe que lave la ropa de su familia, pero hágale entender que por un corto tiempo su disponibilidad horaria y mental será menor a la habitual. Comprenda que no va a pasar nada: no va a perder su trabajo, no se va fundir la empresa ni miles de personas quedaran en la calle por su culpa, y, quién le dice, probablemente los que la rodean se permitan mostrar la otra cara de su personalidad (¿o usted cree que todos los jefes nacen ogros?).

Le quiero contar qué le puede pasar y enseñarle algunos "truquitos" para sentirse mejor. Antes que nada, es indispensable saber que estos síntomas no ocurren siempre y probablemente de algunos directamente nunca se va a enterar.

1. Caída del cabello: es muy frecuente y depende del tipo de drogas utilizadas. Se inicia entre los 7 y 21 días de empezado el tratamiento, comienza en el cráneo y puede incluir cejas y pestañas; salvo excepciones, es transitorio. La recuperación del pelo comienza entre 3 y 12 meses después de la quimioterapia. Al principio, el cabello nuevo es más fino, con menor textura y a menudo de distinto color. Con el tiempo recupera sus caracte-rísticas originales. Es común que se encuentre pelo por toda la

casa y fundamentalmente en la almohada, por lo que se puede usar cofia o gorro ya sea para dormir o a lo largo del día.

Cuando una paciente se ve pelada, tanto el ánimo como el pelo van a parar al piso. Por eso le sugiero que piense en este tema antes de que ocurra. Si lo desea, puede probarse antes una peluca acorde al tipo y color de su pelo original, reservarla y, si luego lo considera oportuno, comprarla. Otra solución es el uso de turbantes o gorros.

Si no quiere usar nada, está en todo su derecho y es una decisión muy valiente. Todo lo que decida hacer es absolutamente respetable. Desde ya, cuente con mi apoyo desde estas páginas.

2. Vómitos y náuseas: son dos de los efectos adversos más comunes y temidos. Hasta hace poco eran prácticamente inevitables, pero en la actualidad, gracias a los nuevos y mejores medicamentos, son muy bien tolerados y hasta suprimidos por completo. En varios trabajos publicados se asegura que las pacientes adecuadamente informadas tienen muchísima menor incidencia de vómitos. Sea como fuere, existen varias medidas para evitarlos:

a) Comer pequeñas cantidades de comida semi-sólida, varias veces por día. Elegir alimentos que provean calorías y proteínas (véase capítulo sobre dieta).

b) Comer acompañada, tratando de distraerse y en lugares donde se sienta cómoda.

c) Relájese entre comidas, descanse todo lo que pueda y distráigase del modo que prefiera.

d) Enjuáguese la boca seguido para sacarse el gusto metálico que dejan los medicamentos.

e) Las comidas muy dulces o muy amargas no son bien toleradas. Es normal percibir el gusto dulce con mayor intensidad que antes, por lo que se puede tomar jugo natural de limón.

f) Evite las bebidas gaseosas que dan sensación de plenitud más rápidamente.

g) Afloje las vestimentas en el cuello y la cintura.

h) El olor a comida puede ser molesto, por lo que es conveniente que se cocine lejos suyo. Puede comerla fría, ya que así despide menos olor.

3. Disminución de los glóbulos rojos y blancos: hay que prevenir infecciones, ya que las células de la médula ósea donde se fabrican los glóbulos rojos y blancos son las que más se dividen en el organismo, y por lo tanto son las más afectadas porque la quimioterapia ataca a todas las células en división, además de las tumorales.

Esto ocasiona decaimiento y una mayor susceptibilidad para padecer enfermedades infecciosas, por lo que es imprescindible su prevención. Uno de los signos más importantes en caso de infecciones es la *fiebre*. No lo tome como algo común y pasajero, comuníquese de inmediato con su médico. Tenga en cuenta que hasta dos meses después de terminado el tratamiento de quimioterapia deberá prestarle atención a este signo.

Una vez finalizada la quimioterapia, *su recuperación será absoluta* y retornará al estado físico previo. En el capítulo correspondiente encontrará algunas ideas que la ayudarán a manejar esta situación.

4. Úlceras de boca y ano: la mayoría de las drogas usadas para la quimioterapia del cáncer de mama no afectan estas líneas celulares, pero si así ocurriera se deben hacer enjuagues con antisépticos y evitar las lastimaduras de las encías, por el riesgo de diseminar gérmenes.

5. Sistema nervioso: se pueden sentir hormigueos en los miembros y en las manos, dificultad para percibir sabores o un gusto metálico permanente. Algunas pacientes sufren un enlentecimiento de la capacidad de comprensión, y hasta cierto grado de amnesia. Todos estos síntomas son transitorios, y desaparecen íntegramente.

6. Aparato reproductor: por acción de estas drogas, transitoriamente se pueden espaciar las menstruaciones, pero salvo un pequeño porcentaje (especialmente en las mujeres cercanas a la menopausia), luego se reinician normalmente. Si deseara futuros embarazos, éste es el momento de conversarlo a fin de discutir las distintas alternativas posibles.

Un síntoma muy frecuente es la picazón en la vagina en el momento en que se administra la quimioterapia: esto tiene que ver con el uso de corticoides, es un síntoma pasajero y que no trae aparejado ningún problema.

7- Sueño: es muy frecuente que al terminar cada serie de quimio, tenga un sueño inmanejable y se quede dormida durante todo el día o más. No se asuste, haga lo que su cuerpo le pide, porque seguramente lo necesita. Explíquele a sus familiares para que no se preocupen.

8- Decaimiento: es casi inevitable que durante el tratamiento la actividad física se vea disminuida, se afecte la capacidad de hacer deportes y de trabajar activamente, tanto por razones físicas como psicológicas. La recomendación más sensata es la de tomarse las cosas con un poco más de tranquilidad y evitar los esfuerzos.

Hoy sabemos que una actividad física moderada puede ser muy favorable, pues aumenta las endorfinas y, por ende, la sensación de bienestar. Pruebe hasta dónde puede llegar.

Usted va a tener días buenos y otros no tanto. A medida que vaya pasando el tiempo logrará un mayor equilibrio emocional y físico, pero no se torture si en algún momento está decaída, porque es una consecuencia casi inevitable del tratamiento. Trate de estar acompañada, si es posible pida a su familia o amigos que la ayuden con las tareas de la casa o en el cuidado de sus hijos. Haga las cosas que pueda: solicite seguir participando de las decisiones del hogar aunque esté en cama, pídale a los miembros de su familia que conversen delante suyo. Usted estará más cansada, ¡pero demuéstreles que aun así pueden y deben contar con usted!

La quimioterapia y radioterapia pueden o no hacerse simultáneamente, convérselo con su médico para saber qué le recomienda.

12. Los controles periódicos postratamiento

¿Cuándo y cuáles?

Una vez completados los tratamientos (cirugía, quimioterapia y/o radioterapia), las pacientes se sienten aliviadas, pero también muy "desamparadas".

En primer lugar, ya no hay alguien que les indique cuáles son los pasos a seguir, las fechas de consulta, qué día tienen que realizar la siguiente sesión de terapia, etcétera. Es por eso que se sienten desorientadas, "solas", y con cierta sensación de desamparo.

Esta situación a veces es compensada por las pacientes con la reiteración innecesaria de las visitas al consultorio o la demanda de estudios. Los profesionales deben tener paciencia y explicar su inutilidad, recalcar que el exceso de evaluaciones médicas o de laboratorio no se asocia con una prolongación de la vida ni con una mejora de su calidad. (¡También es cierto que muchos médicos, aprovechándose de esta situación, citan a sus pacientes muy a menudo!)

Para evitar estos malentendidos, hace un tiempo la Sociedad Americana de Oncología Clínica realizó unas recomendaciones que me parece sensato transcribir:

- Las visitas al consultorio deben hacerse cada 3 o 6 meses durante los tres primeros años, luego cada 6 o 12 meses los siguientes dos años, y a partir de allí, anualmente.

- Hacer una mamografía por año (si el diagnóstico fue originado por microcalcificaciones y se hizo un tratamiento conservador –cuadrantectomía–, sugiero una primera mamografía a los seis meses).

- Realizar el autoexamen mamario periódico (no más de una vez por mes).

- No realizar rutinariamente exámenes de laboratorio, de marcadores tumorales (CA 15.3, CEA), centellogramas o ecografías. Sin embargo en nuestro medio indicamos un hemograma y hepatograma anual (que puede incluir enzimas sensibles al compromiso hepático), una radiografía de tórax, una mamografía, una ecografía hepática y, en aquellos casos de enfermedad a distancia comprobada (metástasis), un centellograma.

En un trabajo muy interesante realizado en Córdoba (Argentina), un grupo de profesionales evaluó el valor de los exámenes complementarios en el diagnóstico de recaída, y llegó a la conclusión de que eran eficaces entre un 10% y un 15%. Las recidivas fueron diagnosticadas aproximadamente en un 67,6% por sus síntomas, en un 10,2% por exámenes clínicos, en un 8,3% por radiografías de tórax, en un 12% por centellografías óseas y en un 1,8% por ecografía hepática.

Obviamente, los controles médicos que se realizan a partir de la finalización de los tratamientos tienen por finalidad la detección temprana de alguna recaída o recidiva. Los lugares donde más frecuentemente se observan las metástasis, en orden decreciente, son: en la mama operada, en los huesos, en los pulmones y en el cerebro.

Una buena parte de mis pacientes me refieren que viven cada fecha de examen y análisis como una pesada carga, con gran temor de un nuevo diagnóstico complicado, aún muchos años después de finalizados los tratamientos. Tratar de restarle importancia y darle el real valor a estos estudios puede ser el inicio de la pérdida del miedo a una circunstancia que se repetirá a lo largo de toda su vida.

Es importantísimo aclarar que el diagnóstico precoz por métodos complementarios o el hallazgo clínico de las recidivas no prolonga la vida sino que permite mejorar su calidad si se adoptan los tratamientos pertinentes. Lamentablemente, muchas veces asistimos a procedimientos costosos y cruentos, de dudosa e incierta eficacia terapéutica. El uso racional y responsable de las herramientas que la ciencia pone en manos de los profesionales es la única garantía de éxito.

Un breve comentario para todas las "ansiosas" que abren los sobres con los informes y se angustian gratuitamente porque no pueden entender su significado: por favor... ¡tengan paciencia! y esperen a que los vea y "traduzca" el médico, se evitarán preocupaciones inútiles.

Finalmente quiero aclarar, como digo siempre, que cada paciente y su enfermedad son diferentes, por lo que un buen médico decidirá qué estudios son necesarios y con qué periodicidad realizarlos, de acuerdo con las necesidades de esa persona.

13. La dieta durante la quimioterapia y la radioterapia[*]

Una de las situaciones que más comúnmente se observan en las pacientes con tumores malignos es la anorexia debida a la disminución de la ingesta de alimentos, con la inevitable malnutrición que puede conducir a un deterioro progresivo de la persona. Se presenta en el 15% al 20% de las pacientes al momento del diagnóstico y es casi generalizada en las pacientes con metástasis. La anorexia muchas veces conduce a la caquexia, que es la disminución del peso, de la grasa corporal y de los músculos. Es una reacción frecuente, comprensible, transitoria y reversible.

A veces, sin embargo, durante el tratamiento de cáncer de mama puede ocurrir un aumento de peso. Los factores involucrados no están bien definidos y algunas de las explicaciones podrían ser: un aumento en la ingesta calórica, una menor actividad física o posibles cambios hormonales (menopausia inducida por quimioterapia).

Se debe considerar que la comida es uno de los hechos sociales más relevantes, de allí que la *paciente sin apetito se segrega y aísla, lo que también afecta su relación con el entorno.*

Tenga en cuenta que:

1. Por la mañana, hay una mayor sensación de bienestar que puede ir disminuyendo a lo largo del día, por lo que sería bueno que iniciara la jornada con una buena alimentación, que podrá achicarse en cantidad a la tarde-noche. Esa buena alimentación debería estar integrada por alimentos ricos en proteínas, como leche o yogur descremados y quesos magros, y por productos ricos en vitaminas, minerales y fibras, como frutas, panes

[*] Agradezco la colaboración de la licenciada Roxana Guida

integrales, copos de cereales. La mañana debería incluir dos comidas: el desayuno y una pequeña ingesta o colación a media mañana.

2. Es preferible comer poca cantidad varias veces en el día que una o dos comidas muy abundantes. Lo ideal sería realizar como mínimo 6 ingestas diarias.

3. Agregue a las comidas calorías y proteínas utilizando miel, huevo, azúcar negro, quesos magros o de soja, frutas secas, leche de soja o leche en polvo descremada.

4. Elija alimentos y preparaciones de consistencia blanda, que no le exijan mucha masticación, como los pescados, los cereales, las pastas bien cocidas, frutas y vegetales cocidos.

5. Evite las preparaciones a base de frituras, salsas u hojaldres: además de ser perjudiciales para su salud son de muy difícil digestión.

6. Evite la ingesta de líquidos durante las comidas, resérvelos para el final.

7. Trate de no tomar caldo solo, prefiéralo en sopas a base de verduras licuadas con el agregado de cereales, quesos magros y huevo. Si ingiere sopas, siempre hágalo como último plato y no como entrada.

8. Cuando tome infusiones como té o mate cocido, prepárelas directamente en una taza con leche descremada o leche de soja, sin el agregado de agua. Puede enriquecer aún más la infusión agregándole una cucharada extra de leche en polvo descremada.

9. Evite los sabores excesivamente dulces, como las infusiones con mucho azúcar. Y también los condimentos irritantes o picantes como la pimienta, ají molido o ajo.

10. Cambie los horarios de las comidas de acuerdo con sus deseos. Puede presentar los alimentos vistosamente, usando condimentos agradables pero no excesivos, decorar la mesa y transformar el comedor en un ambiente más confortable. Usted sabe que no es lo mismo comer en un lugar lúgubre que en un sitio luminoso, alegre, florido, con música. ¡¡¡Deje volar su fantasía!!!

11. No hay que cocinar cerca del lugar donde se va a comer, porque los olores desagradan a las personas con poco apetito. Prefiera las comidas frías que despiden menos aromas. Si tiene la suerte de que alguien cocine para usted, quédese lejos de la cocina y procure que ésta tenga la puerta cerrada. Destape las fuentes antes de llevarlas a la mesa, porque el vapor esparce mucho los aromas.

12. Ingiera líquidos que además le aporten calorías y proteínas, como jugos de frutas naturales, leche descremada o de soja, yogur bebible descremado, licuados de fruta con leche descremada o de soja.

13. Enjuáguese seguido la boca para evitar los gustos desagradables, especialmente antes de comer. Se puede usar utensilios de plástico para evitar el gusto metálico.

14. Algunos casos se acompañan de diarrea. Si esto sucede, se deberá disminuir el

consumo de ciertos alimentos, como los ricos en fibras, los cítricos y la leche. En casos de constipación, deberá actuar a la inversa.

15. Siempre recurra a su médico o nutricionista que le recomendarán el plan de alimentación más adecuado en cada caso.

A veces, cuando el médico lo considere necesario, se deberá complementar la dieta con preparados magistrales o suplementos dietarios, tanto durante la quimioterapia como durante la radioterapia, y posteriormente a la misma. Las siguientes tablas muestran las suplementaciones recomendables:

Suplementación diaria durante la quimioterapia o radioterapia

Selenio	200 mcg
Vitamina C y bioflavonoides	2.000 unidades
Vitamina E	800 UI
Coenzima Q	200 mg
Beta carotenos	25.000 unidades

Suplementación diaria posterior al tratamiento

Selenio	200 mcg
Vitamina C y bioflavonoides	4.000 mg
Vitamina E	1.200 unidades
Beta carotenos	50.000 unidades
Calcio	1.500 mg
Magnesio	750 mg

14. El tamoxifeno. Inhibidores de la aromatasa

En el informe del patólogo se describe si en el tumor hay receptores hormonales, que son los sitios a los que se acoplan los estrógenos y la progesterona (hormonas que participan en la división celular). Si los receptores son positivos, se indicará una terapia con tamoxifeno.

Los receptores hormonales son como puertos en los que atracan las moléculas de estrógeno y promueven fenómenos de duplicación celular. Estas divisiones no son bienvenidas en los tumores estrógeno-dependientes, de allí que se indica tamoxifeno, una droga que tiene una estructura molecular parecida a los estrógenos pero con una actividad biológica muchísimo menor. Si los receptores se "confunden" y se acoplan al tamoxifeno como si fuera una molécula de estrógeno, lograremos disminuir los fenómenos de reproducción celular mediados por las hormonas.

Los ovarios, que son los productores de estrógenos, disminuyen su secreción al llegar a la menopausia, por lo que es el momento ideal para la administración de tamoxifeno. En las mujeres jóvenes previamente se tiene que frenar la actividad ovárica, ya sea quirúrgicamente o con drogas específicas. En estos casos, se evaluará profundamente los beneficios de cada una de las decisiones y su relación costo-beneficio, no sólo económico sino también psicofísico.

Está comprobado que el tamoxifeno beneficia notoriamente la evolución del cáncer de mama en las pacientes que tienen receptores positivos. Se estima que el aumento de la sobrevida es entre un 10% y un 25%. También se comprobó que se disminuye el riesgo de padecer un nuevo cáncer en la otra mama, de allí que hace años se iniciaron estudios proponiendo que se lo utilice para la quimioprevención, es decir, que se administre en pacientes de riesgo pero sin cáncer, con el fin de protegerlas de posibles males futuros.

Sin embargo, las controversias surgidas de los trabajos disponibles no pueden garantizar su efectividad como método preventivo, por lo que en nuestro medio no se indica con ese fin, salvo en casos especialmente seleccionados.

El efecto adverso más importante del tamoxifeno es que puede producir un aumento del grosor del endometrio (la parte interna del útero). En alrededor del 1% de los casos, se debe a la presencia de un adenocarcinoma. El signo de sospecha más importante es la metrorragia o pérdida de sangre uterina, por ese motivo este síntoma debe ser monitoreado anualmente con una ecografía ginecológica transvaginal.

Si bien el riesgo de padecer un cáncer de endometrio por tomar tamoxifeno es real, los beneficios obtenidos con su uso superan los posibles perjuicios, por lo que recomendamos su utilización en las mujeres en que está formalmente indicado.

Los demás efectos adversos están relacionados por su competencia con los estrógenos, y se manifiestan como los síntomas típicos de la menopausia: tuforadas (olas de calor), sequedad de vagina, irritabilidad, etcétera.

La dosis de tamoxifeno es de 20 mg por día, y la duración del tratamiento es de aproximadamente 5 años. Cada caso debe ser contemplado individualmente, y las variaciones en el tiempo de administración serán discutidas con los médicos de cabecera.

En el tejido graso corporal, y especialmente en el de la zona de la cintura, existe una enzima llamada aromatasa que se encarga de transformar algunas moléculas de grasa en estrógenos que son liberados a la circulación, con el consabido aumento de riesgo. Los *inhibidores de la aromatasa* surgen como una terapia valiosa que se está ensayando en el mundo entero y, aparentemente, tendrían mejor tolerancia y efectos adversos menores que los del tamoxifeno. Sin embargo, su costo es muchísimo mayor.

Hasta el momento no existe un consenso internacional que nos lleve a sugerir el cambio del tamoxifeno por los inhibidores de la aromatasa. Otras drogas están siendo testeadas en distintos protocolos de ensayo clínico en todo el mundo, lo que abre promisorias esperanzas para el futuro.

15. El linfedema, su prevención y tratamiento

El sistema linfático está formado por conductos, llamados vasos, y por ganglios. Estos diminutos conductos tienen por finalidad recoger sustancias que se encuentran entre las células (intersticio), transportarlas hasta los ganglios y de allí al torrente sanguíneo para su eliminación. Los ganglios producen linfocitos, que son células que participan en los mecanismos de defensa y también actúan como filtros que retienen las impurezas, los agentes infecciosos y las células anormales que posteriormente serán destruidas y eliminadas.

La circulación linfática está garantizada por la contracción de los músculos, de los propios vasos linfáticos y del vacío torácico que se produce durante la respiración.

En la mama el sistema linfático está constituido por conductos superficiales y profundos que transportan la linfa (en mayor proporción) hacia los ganglios de la axila o la cadena ganglionar interna (al lado del esternón), para pasar luego en la zona cervical a la circulación venosa. Normalmente los ganglios de la axila son alrededor de treinta y seis.

Cuando en una cirugía se extirpan los ganglios de la axila, se interrumpe el transporte de la linfa que viene desde los dedos. Por ese motivo, si no se encuentran vías alternativas de drenaje, el líquido se acumula en el brazo provocando una hinchazón llamada linfedema, que si no se trata adecuadamente aumentará de tamaño y provocará molestias. Esto ocurre entre el 10% y el 30 % de las pacientes operadas.

Los síntomas más frecuentes son:

-hinchazón del brazo

-sensación de peso en el miembro superior

-engrosamiento de la piel

-infecciones dérmicas a repetición

Las causas más comunes de la interrupción de la circulación linfática son: la extirpación quirúrgica de los ganglios axilares y la radioterapia axilar cuando es usada como complemento terapéutico.

Luego de un tratamiento quirúrgico o de radioterapia, debe tener mucho cuidado con el brazo, a fin de evitar el linfedema. Estos cuidados implican mantener el brazo limpio y sin lastimaduras para evitar que entren gérmenes; para ello, es fundamental extremar las precauciones en las tareas del jardín (usar guantes), de la cocina (usar agarraderas para no quemarse), al cortarse las uñas –¡y especialmente las cutículas!–, al depilarse la axila (usar máquina eléctrica). También hay que evitar el contacto con los insectos (usar repelentes) y las quemaduras solares (usar pantallas al estar a la intemperie), cuidar que los pliegues estén limpios y secos, no usar ese brazo para extracciones de sangre. Además deberá prestar atención a la vestimenta, especialmente a los corpiños, evitando que estén muy apretados y/o que los breteles dejen profundas marcas en la piel, no usar prótesis externas pesadas o ropa con mangas muy apretadas y no cargar con carteras voluminosas en ese hombro, puesto que en estos casos se dificulta el retorno linfático.

Luego de un tratamiento potencialmente causante de linfedema debería realizar ejercicios con la finalidad de prevenirlo (o disminuirlo si ya está instalado). Piense que la circulación linfática va desde las partes más alejadas hacia la axila. Si está obstruida en algún sitio, ya sea porque los ganglios están "llenos" o porque el trayecto está cortado, se deben buscar vías alternativas que permitan completar el viaje.

Por eso, durante los tratamientos del linfedema es necesario "vaciar" previamente los ganglios axilares del lado sano masajeándolos suavemente hacia el tórax, también se masajea la zona lateral del tórax desde abajo hacia arriba y las vías linfáticas posteriores que transcurren por la zona del omóplato. Una vez logrado, se comenzará con un drenaje linfático, desde los dedos hacia el hombro, teniendo en cuenta que seguramente será necesario retomar el masaje de los ganglios de la axila a fin de ayudarlos a vaciarse nuevamente. Como verá, estos masajes pueden resultar complicados, por lo que le recomiendo que el inicio del tratamiento lo haga con un profesional.

Como dicen los que saben de linfología: si el masaje no se acompaña con los vendajes específicos para esta situación, no se obtiene el resultado esperado, por lo que también tendrá que aprender a ponerse las vendas.

Finalmente, algunos ejercicios físicos asociados con la respiración completarán la trilogía de las cosas que se pueden hacer en casa. Trate de hacer los ejercicios en un lugar donde esté tranquila y con ropa adecuada que no le apriete. A los ejercicios ya indicados en el capítulo sobre cirugía, agregamos los siguientes:

1- Comience con inspiraciones profundas, poniendo especial atención en la exhalación, que debe ser completa. Se puede facilitar el vaciado de los pulmones estando acostada y llevando la rodilla agarrada con las manos hacia el tórax. Hágalo diez veces y luego cambie de pierna. Otra posibilidad es flexionar las rodillas y levantar la cabeza con la exhalación, manteniendo este movimiento mientras se libera todo el aire. Luego baja la cabeza e inspira nuevamente.

2- Extienda el brazo (puede apoyarlo sobre una superficie acolchada si no puede sostenerlo) y flexione la mano sobre el antebrazo y éste sobre el brazo. Luego, estírelo. Hágalo diez veces y cambie de brazo.

3- De pie, lleve los hombros hacia arriba y hacia abajo. Luego rote los hombros hacia atrás y adelante. Diez veces cada uno.

4- Pase una soga por sobre una viga y tome cada uno de sus extremos. Levante un brazo por vez, ayudando al que tiene linfedema. Siempre mantenga inspiraciones y expiraciones profundas durante los ejercicios.

Seguramente, existen muchísimos ejercicios más. Solamente describo los que me parecen sencillos pero, sin duda, un profesor de educación física o un kinesiólogo asesorados por el especialista le enseñarán las mejores formas de hacer gimnasia.

Finalmente: la clave de todo radica en la prevención. Cuide muchísimo su brazo, como nunca lo hizo hasta ahora, y que esta premisa sea para siempre.

16. Tratamientos reconstructivos

Las reconstrucciones mamarias, si bien no forman parte del tratamiento intrínseco del cáncer, pueden y deben ser consideradas al momento de decidir un procedimiento quirúrgico.

Lo primero que surge en la mente de las pacientes es que no es apropiado desperdiciar tiempo y esfuerzos en una decisión estética cuando está en juego la vida. *Esto sólo es parcialmente cierto.*

Si uno considera que el tratamiento quirúrgico es curativo y que casi con seguridad no va a necesitar una nueva operación, tal vez sea el momento de pensar en hacer una reconstrucción inmediata, es decir, a continuación de la cirugía que extirpa el cáncer y formando parte del mismo acto quirúrgico. Si no, la otra opción es diferirla para cuando crea que es el momento adecuado. Existen una serie de factores que influyen en la toma de decisión, seguramente ligados a la información recibida, a la situación social, cultural, psicológica, anímica y económica de cada uno.

Recordemos uno de los primeros conceptos de este libro: "es necesario tomarse un tiempo". Al hacerlo, no sólo no está perjudicando los resultados, sino que los beneficiará notoriamente.

La reconstrucción no es un lujo, sino una herramienta que los médicos debemos ofrecer a nuestros pacientes, porque el respeto por la imagen corporal que tiene cada uno forma parte del tratamiento.

Existen distintos procedimientos técnicos para realizar la reconstrucción y también diferentes momentos para hacerla, es indispensable que charle con los cirujanos y exprese sus deseos y razones, para que juntos y en la medida de lo posible encuentren la mejor opción para su caso particular.

Debe quedar en claro que si bien los resultados estéticos son satisfactorios, no se podrá recuperar la mama extirpada y el producto obtenido no podrá compararse con una mama normal.

Las reconstrucciones inmediatas son rutinarias en otros países, pero en el nuestro es una tendencia que progresa lentamente. Las alternativas más comunes son el uso de implantes protésicos rellenos con siliconas, solución salina u otras sustancias y los expansores provisorios o definitivos de tejidos, u otras técnicas como el TRAM, el uso del músculo dorsal o el glúteo mayor. Habitualmente la reconstrucción de una mama implica un "retoque" de la otra mama para que queden simétricas.

Cada caso debe ser analizado detenidamente para lograr el mejor resultado con la menor agresión. La paciente, el cirujano plástico y el mastólogo decidirán en conjunto el procedimiento y el momento más oportuno de acuerdo con las características de la enfermedad y los tratamientos hechos y por hacer, que variarán según cada persona. Esto quiere decir que algo bueno para una paciente no necesariamente lo será para otra.

Las reconstrucciones inmediatas ofrecen a la paciente el beneficio de evitar un nuevo estrés quirúrgico, puesto que se realiza la operación del cáncer junto con el equipo de cirugía plástica que a continuación de la mastectomía realiza el primer paso de la reparación. Este tipo de cirugía está especialmente indicado para aquellas pacientes que no necesitan tratamientos complementarios (quimioterapia), como por ejemplo aquellas que tengan un carcinoma *in situ*. Las otras pueden hacer una reconstrucción inmediata pero si surgiera alguna complicación, como una infección postoperatoria, retrasaría el inicio de la quimioterapia.

Distintos tipos de procedimientos reconstructivos

-TRAM: consiste en la utilización del músculo recto del abdomen junto con la piel que lo recubre y la grasa abdominal. Estos elementos, sostenidos por los vasos sanguíneos que los nutren, pasan a ocupar el espacio libre que deja la mama extirpada, brindando un volumen adecuado y una consistencia muy natural. La cicatriz que queda en el abdomen es similar a la de una cesárea (horizontal) y el funcionamiento de los músculos abdominales restantes no se afecta demasiado, por lo que se pueden hacer actividades físicas normales.

El pezón y la aréola se reconstruyen en una segunda etapa, usando técnicas de tatuaje y transplante de piel de otra región.

- Uso del músculo dorsal: es similar al procedimiento anterior, pero la cicatriz estará en la espalda que es donde se encuentra este músculo.

- Uso del glúteo mayor: se hace con el mismo fundamento de los procedimientos anteriores, pero se lo emplea muy poco.

- Expansores de tejidos: se trata de un balón desinflado que se coloca por debajo del músculo pectoral y que a través de una válvula se va llenando progresivamente con solución

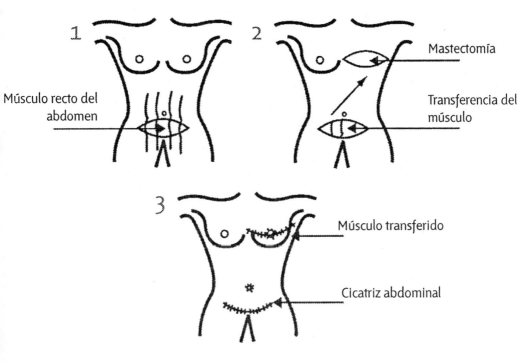

Músculo recto del abdomen

Mastectomía

Transferencia del músculo

Músculo transferido

Cicatriz abdominal

salina, distendiendo los tejidos hasta alcanzar un volumen satisfactorio. Algunos deben ser reemplazados por implantes o prótesis y otros pueden quedar definitivamente ocupando ese sitio.

- Implantes: su uso está muy asociado con los procedimientos quirúrgicos con el fin de aumentar el tamaño de las mamas. Son prótesis que pueden estar llenas de aceite de siliconas, solución salina, aceite de soja u otras sustancias que se colocan directamente por debajo de la glándula o retropectorales.

Cuando se ubican por debajo del músculo proporcionan un aumento de volumen considerable; al tacto la mama mantiene su textura, es menos frecuente la formación de una cápsula contráctil rígida (encapsulación) y las mamografías mantienen una relativamente satisfactoria capacidad de mostrar lesiones.

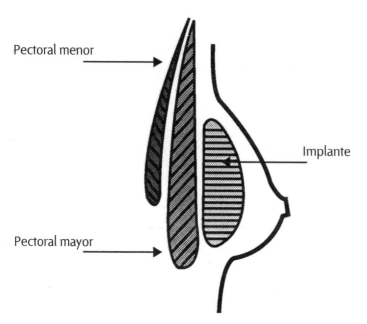

Pectoral menor

Implante

Pectoral mayor

Esquema demostrativo de implante retromamario

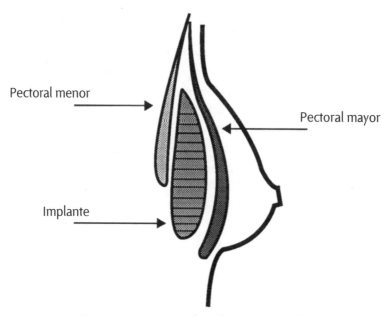

Pectoral menor

Pectoral mayor

Implante

Esquema representativo de implante retropectoral

Las prótesis que se colocan entre el músculo pectoral y la mama pueden dar mayor volumen y el tacto puede ser diferente al de la mama normal. Pueden producir encapsulamientos más frecuentemente y, lo que es más importante, muchas veces distorsionan las imágenes de las mamografías. Si bien se han descrito técnicas como la del doctor Ecklund que tratan de desplazar las prótesis para poder ver mejor el tejido mamario, no siempre dan resultado.

Si tuviera que recomendar un procedimiento para los implantes protésicos en pacientes con o sin cáncer de mama, no dudaría en elegir los retropectorales.

17. Aspectos psicológicos en el cáncer de mama [*]

Cuando el doctor Guillermo Soto me invitó a colaborar en su libro debido a nuestra experiencia conjunta en el tratamiento con pacientes con cáncer de mama, sentí primero un gran orgullo, pero inmediatamente sentí el peso de una gran responsabilidad y temor por enfrentar esta ardua y complicada tarea.

¿Cómo resumir en un capítulo todo lo aprendido a partir de la escucha de mis pacientes, sus ansiedades, dudas, miedos...? ¿Cómo abarcar una extensa bibliografía que me insumió largas horas de lectura? ¿Cómo transmitir en un lenguaje accesible vivencias individuales que remiten a profundas variables psicológicas? Y, aún más, ¿cómo acercar estos temas a las mujeres en general?, ¿cómo transmitirles que esto "psi", que suena tan ajeno a una enfermedad real y temida como el cáncer, no es un delirio de algún fanático de la psicología, sino algo claramente observable y manifestado por las mismas pacientes, cuando tienen un espacio para hacerlo?

En realidad, mi primer acercamiento a pacientes con esta patología surgió justamente a partir de la "oreja" de una profesional amiga, especialista en patología mamaria. Un día me dijo, sabiendo que yo era psicóloga: "Guadalupe, vos tendrías que escuchar a mis pacientes. Lo que les pasa no es solamente el cáncer".

Es así que hoy me encuentro abocada a esta tarea: escribir acerca de aquellos aspectos que van más allá del nódulo, de su tamaño, de la presencia o no de ganglios positivos, de la histología del tumor, etc., para sumergirme en otras áreas que tienen que ver con

[*] La autora de este capítulo es la licenciada Guadalupe Maroño

los sentimientos, recuerdos y vivencias que producen sufrimiento adicional, incluso en las relaciones sociales y los vínculos en general.

El diagnóstico de cáncer constituye una experiencia conmocionante para cualquier persona. Desde el mismo momento en que el paciente recibe la confirmación de este diagnóstico, se inicia un proceso en el cual todas las áreas vitales del individuo se ven afectadas. Es una enfermedad sistémica que se expande más allá del cuerpo para desestabilizar también las redes familiares y sociales que rodean al sujeto. "Neoplasias" del mundo externo que complican aún más la relación del paciente con su enfermedad y de éste con sus médicos.

Además, los tratamientos que generalmente se usan en la actualidad son tan agresivos como la enfermedad, constituyéndose asimismo en nuevos factores estresantes que aumentan el sentimiento de fragilidad y vulnerabilidad.

Es fundamental una buena relación médico-paciente, para que puedan expresarse todas las dudas, temores y sentimientos que se despiertan cuando la mujer percibe un "bultito" y comienzan todos los estudios.

El cáncer, como "enfermedad sagrada" de este siglo, comparte con el SIDA y otras afecciones del pasado (lepra, sífilis) la cualidad de que algo "maligno", algo "malo", debe ser extirpado, y coloca a la persona enferma en el lugar de aquel que es señalado por la sociedad, marcado por padecerla.

Es necesario desmitificar la enfermedad, sacarle esa carga de "muerte" que la acompaña, enfrentarla y conocerla, aceptando el desafío de atravesar un camino con escollos, curvas, idas y venidas, pero manteniendo siempre la esperanza de la posibilidad de curación, y sabiendo que hay todo un equipo de profesionales dispuestos a acompañarnos.

Como bien dice el doctor Soto, es necesario conocer al adversario para enfrentarlo con más serenidad. Es necesario, entonces, conocer los sentimientos y reacciones "esperables" que acompañan, en este caso, al diagnóstico de un cáncer de mama. Será el médico el que podrá evaluar si estos sentimientos sobrepasan lo esperable en intensidad o en duración y derivar a un especialista en caso de ser necesario.

No siempre es imprescindible la intervención de un psicólogo: las pacientes no están neuróticas, sino que tienen un cáncer y esto implica la aparición de sentimientos y temores que son absolutamente normales.

Un buen vínculo con su médico le permitirá elaborar ansiedades y miedos y sobreponerse al impacto emocional que el diagnóstico de esta enfermedad implica. Algunos autores hablan de un estrés postraumático similar al que padece una persona que ha sufrido alguna experiencia similar a una guerra o un atentado terrorista. ¿Puede usted imaginar cómo se siente alguien que estuvo en la AMIA el día del atentado? Una paciente comentaba: "Después de escuchar las palabras del médico, me parecía estar arriba de un ring recibiendo golpes de todos lados".

Impacto emocional del diagnóstico de cáncer de mama

El cáncer de mama es uno de los más estudiados en lo que se refiere a sus aspectos psicológicos y psicosociales. Constituye un factor de gran estrés emocional para cualquier mujer, dado que afecta un órgano cargado de significados impuestos social y culturalmente. A veces, esto impide una consulta precoz, ya que el fantasma de perder una mama paraliza a muchas mujeres. Lo que ignoran es que cuanto antes se consulte, mayores serán las opciones de tratamiento a elegir.

Como hemos dicho, la mama es un órgano cargado de significados, y éstos varían de mujer a mujer de acuerdo con sus características personales, socioculturales y familiares. Muchos de estos significados pueden ser discutibles, pero en general la mayoría de las mujeres de nuestra cultura centralizan sus temores en estas áreas vitales:

1) Es un órgano que remite a su imagen corporal y se relaciona con su autoestima.

2) Constituye un atributo que la hace sentirse atractiva.

3) Está relacionado con su femineidad.

4) Está integrado a su sexualidad.

5) Lo refiere a su capacidad nutricia.

6) Se relaciona con su capacidad reproductiva.

El impacto emocional dependerá de factores individuales, como los recursos internos de esa paciente, su capacidad para enfrentar situaciones traumáticas, el momento vital en que se encuentre (juventud, adultez, tercera edad), su medio sociocultural y familiar, su soporte emocional y económico (tener pareja o no, redes familiares sólidas, estabilidad económica). Todos estos factores determinarán también su adaptación a la enfermedad.

Hablar de adaptación no equivale a decir "sometimiento". Adaptación implica una aceptación de la enfermedad, con todos los sentimientos que se despiertan, pero al mismo tiempo una activa participación en todo el proceso. La paciente no es una simple hoja al viento, es la que "pone el cuerpito" y es quien debe poder hablar de lo que siente, preguntar, pedir explicaciones de cada tratamiento: por qué es adecuado, cuáles son sus efectos secundarios, cuáles sus beneficios, evaluar éstos con relación al costo, y pedir que le den tiempo para decidir. Es importante recordar que con respecto al cáncer siempre hay una segunda opción.

Temores y reacciones normales y esperables frente al diagnóstico

Primero es necesario que conozca las reacciones y temores normales que probablemente la invadan frente al diagnóstico, para que pueda expresarlos y darse el tiempo necesario para que vayan suavizándose estos sentimientos iniciales que se producen por el *shock* y el impacto de la información.

Desde el momento en que una mujer nota algún síntoma, o cuando el médico le informa de alguna sospecha en relación con un control mamográfico, se pondrá en marcha el particular bagaje emocional para enfrentar la situación. El estilo personal de enfrentamiento le permitirá a cada mujer controlar en forma más o menos adaptativa los sentimientos o temores que se despiertan.

La respuesta inicial es, generalmente, una reacción de negación, rechazo y desesperación:

"Me parecía estar viendo una película."

"Nunca pensé que me iba a pasar a mí."

En una segunda fase puede aparecer cierto nivel de ansiedad (inquietud, tensión frente al futuro), ánimo depresivo (tristeza, desesperanza, culpa relacionada con la posibilidad de transmitir esa herencia a las hijas mujeres), anorexia (disminución del apetito), insomnio o dificultades para descansar, dificultades de concentración, suspensión de las actividades habituales, disminución del deseo sexual.

"Mis hijas se van a asustar, quizás yo les pase esto como herencia."

"No quiero quedar inútil y ser una carga para mi familia."

"Yo que siempre estuve atenta y cuidándome. ¡Cómo pude llegar a esto!"

"Ya no voy a estar completa, mi marido no me va a desear..."

En una tercera etapa podemos hablar de una relativa adaptación, la paciente se rearma, ajusta la información con su médico, se permite confrontar temas. A veces consulta a otras mujeres que han pasado por lo mismo, puede mostrar cierto optimismo y retomar sus actividades habituales.

"Estoy decidida a enfrentar lo que venga. Muchas pasaron por esto, nadie lo cuenta, pero ahora me enteré de varios casos..."

Insisto nuevamente en que es muy importante la relación que establezca con su médico, el nivel de participación activa que pueda tener en las decisiones y que se sienta acompañada y aconsejada, porque sino esto puede resultar un factor adicional de estrés.

Será el médico quien deberá evaluar si estas respuestas esperables exceden su duración o intensidad habituales. En ese caso podrá derivarla a un profesional especializado en el tema, para que pueda contener y aclarar o hacer alguna evaluación diagnóstica con unas pocas entrevistas focalizadas.

Reacciones frente a los tratamientos

1) Cirugía

La adaptación psicológica no depende únicamente de factores internos, existen además factores relacionados con aspectos médicos que pueden influir en estas estrategias para enfrentar la enfermedad. Éstos son: el estadio de la enfermedad en el momento del diagnóstico, el tipo de tratamiento indicado, el pronóstico y las oportunidades de rehabilitación disponibles.

Dada la indicación de una cirugía, posiblemente la paciente se enfrente con diferentes temores generalmente difundidos, etcétera. Por eso es necesario que confronte cada uno de éstos con su médico y que se dé tiempo para elaborarlos.

Algunos de los miedos más comunes son:
- Miedo a la anestesia.
- Temor de no "despertar".
- Angustia de muerte (relacionada con alguna experiencia previa).
- Temor a depender de los otros o ser una "carga" para sus familiares después de la operación.
- Desconocimiento de cómo es una internación.
- Cómo va a ser la recuperación posterior.
- Cuánto tiempo va a pasar antes de tener los resultados (en caso de ser una biopsia diferida).
- Cómo elegir al "mejor" cirujano.
- Cómo manejar el "bombardeo" de información por parte de familiares, amigos y vecinos.
- La ansiedad que despierta el tomar decisiones en relación con distintas opciones de tratamiento, por ejemplo: mastectomía o resección parcial más radioterapia.
- En caso de ser inevitable una mastectomía, el dolor por la pérdida de una parte tan valorada del cuerpo, y todos los temores y ansiedades relacionadas con ello.
- Tomar decisiones con respecto a la posibilidad de una reconstrucción posterior (cuándo, cómo, con quién).

Es fundamental en este momento la presencia del médico dispuesto a escuchar, a informar y a esclarecer todas las dudas o temores que puedan surgir, sin intentar acallarlos sino más bien dando un espacio para que éstos puedan ser hablados y elaborados. Pero, también es cierto que la profesión del médico es muy difícil. Él no podrá adivinar lo que usted siente. Trate de hablar con confianza, no se inhiba, pídale paciencia y, quizás, un poco más de tiempo. Pero recuerde: es usted la que debe expresarse, él no tiene capacidad de adivinar lo que usted piensa o siente.

2] Quimioterapia

Cuando apenas se está reponiendo de la cirugía, la paciente tiene que empezar a recorrer un nuevo y difícil camino: la visita a un oncólogo y, a veces, el comienzo de un tratamiento del que generalmente posee alguna información previa a través de familiares, amigos o vecinos, y sobre el que abundan mitos y fantasías socioculturales.

Las palabras "oncólogo" y "quimioterapia" están teñidas de un significado exageradamente terrorífico. Nadie dice que pasar por una quimioterapia sea como "tomar una aspirina", pero también es cierto, como suelo decirle a mis pacientes, que no se trata de un "resfrío" y que la quimioterapia representa una posibilidad de curación.

Todo depende de la actitud mental con que ésta se reciba. Es importante poder aclarar todas las dudas con un profesional de confianza, erradicar fantasías que a veces tienen que ver con ignorancia o desconocimiento de las nuevas medicaciones y las formas de tratar los posibles efectos secundarios. Además, algunos de estos efectos no son generalizables a todas las personas. A veces dependen de creencias o ideas previas por experiencias ligadas con la propia historia, que en cuanto se aclaran disminuyen la ansiedad y los miedos.

Los temores y fantasías más comunes tienen que ver con:

- Incorporar un "veneno" al organismo que dañe las células normales.
- Tener algo "malo", y encima recibir algo más malo todavía.
- Decidir si quieren o no hacer quimioterapia, o no hacer ningún tratamiento convencional.
- Miedo a tomar decisiones y arrepentirse posteriormente.
- Temor a los posibles efectos secundarios, de los que no siempre están bien informadas.
- Ansiedad por la pérdida del cabello, las náuseas, el cansancio y cómo organizar su vida cotidiana.
- La angustia que se despierta antes de cada nueva sesión de quimioterapia, que les recuerda nuevamente la enfermedad.
- Encontrarse con otros pacientes con experiencias y situaciones diferentes que las asustan más.

Para todos estos temas es muy útil, además de las aclaraciones de su médico, la consulta con algún profesional del equipo, con un psicólogo o la asistencia a un grupo de autoayuda, donde podrá compartir experiencias con otras mujeres que hayan atravesado por lo mismo.

La quimioterapia implica, muchas veces, un doloroso tramo que la paciente debe atravesar, con angustias, dudas y miedos absolutamente normales. Además de los cambios corporales impuestos por la cirugía, se suman otros que implican nuevos duelos y que hieren su sentimiento de ser "valiosa": se ve disminuida en sus capacidades habituales y puede despertarse la fantasía de verse mutilada, atacada en su feminidad y en su sentimiento de identidad.

"Me veo como un monstruo: gorda, hinchada y sin pelo, ¡qué te parece!"

"No me reconozco, yo nunca había tenido esta panza."

"Cuando se acerca la nueva sesión de quimio, ya me empiezo a sentir mal."

"Yo, que no paraba ni un minuto en casa, ahora estoy tirada, sin ganas de hacer nada, ni de ir a trabajar."

"Me desconozco. Cómo le explico a mi marido que no tengo tanto deseo sexual..."

Es importante que pueda estar preparada mentalmente para estos sentimientos, aceptándolos y pudiendo compartirlos. Puede hablar con sus médicos, con ex pacientes, y, de ser posible, tener algunas entrevistas de orientación con un psicólogo con el objetivo de esclarecer estos temas y "aceptar" el tratamiento como algo que la va a beneficiar a largo plazo, a pesar de los molestos efectos secundarios que son transitorios y pueden ser controlados con medicación adecuada.

Aquí van algunos "secretitos":

- Intente crear un vínculo de confianza con su médico. Insista en que le dedique algo más de tiempo, ya que usted necesita un espacio para aclarar esto temas y con sus consejos podrá adaptarse mejor a esta nueva etapa.

- Escuche sus explicaciones acompañada por un familiar o alguna persona de su confianza. Esto no quiere decir que usted sea "débil" o "discapacitada", sino que, cuando una persona atraviesa momentos de gran ansiedad, a veces puede pasar por alto datos importantes o sentirse confundida. Incluso, si a su médico no le molesta, puede grabar las entrevistas.

- Puede ser necesario más de un encuentro para aclarar sus dudas.

- Prepare una lista con las principales preguntas.

- Es muy conveniente la visita a un nutricionista que forme parte del equipo, quien podrá aconsejarle acerca de la alimentación adecuada, cómo contrarrestar las náuseas y la falta de apetito o cansancio.

- También es importante la visita a una cosmetóloga especializada. Ella le dará algunos consejos para aliviar el impacto que implica la posibilidad de perder el cabello (según la droga que le indiquen). Algunas pacientes suelen cortarse el pelo muy cortito, compran una peluca o aprenden diferentes formas de colocarse pañuelos y empiezan a disfrutar de gorros y sombreros que antes no se animaban a usar.

- Intente no dejar sus actividades habituales: busque horarios adecuados para el tratamiento sin que éste le impida seguir trabajando. Si es necesario, pida ayuda para las tareas domésticas: es un buen momento para que su marido se luzca y sus hijos, aun los más chicos, se sientan importantes colaborando. Permita que alguna vecina o amiga le demuestre su afecto más que nunca, hay muchas personas que la quieren y quizás no tuvieron oportunidad de demostrárselo.

- ¡Deje de lado la omnipotencia! Dedíquese más tiempo para usted misma. Busque alguna actividad que le resulte placentera (caminar, pintar, escribir, leer, clases de cerámica, etc.).

- En caso de que sienta que no puede enfrentar sola esta situación –lo cual también es absolutamente normal–, busque algún apoyo psicológico.

- El yoga o la relajación progresiva con visualizaciones son muy útiles para controlar la ansiedad. De ser necesario, puede pedir alguna medicación.

- La disminución del deseo sexual y otros efectos secundarios relacionados con la función sexual pueden ser aclarados por su médico. No sienta vergüenza, la sexualidad es una hermosa parte de nuestra vida que no debe ser descuidada. Es muy útil que su pareja la acompañe en estas entrevistas y aclare sus dudas. Pueden descubrir nuevas formas de placer sexual y es un buen momento para hablar de estos temas, ya que no siempre son tratados con la pareja.

La actitud ante la enfermedad implica a veces un cambio de actitud frente a la vida. No es nada fácil, es cierto, pero vale la pena intentarlo. ¿O no?

3] Hormonoterapia

La hormonoterapia constituye un tratamiento muy usado en la actualidad, a veces en forma única y otras veces luego de la quimioterapia. Como siempre, requiere de las necesarias explicaciones médicas y, ante todo, de una actitud abierta y confiada de la paciente para preguntar y aclarar todas las dudas que fueran necesarias.

- ¿Cuándo está indicado?
- ¿Por qué y para qué?
- ¿Durante cuánto tiempo?
- ¿Cuáles son sus efectos secundarios?
- ¿Por qué se indica a algunas pacientes y no a otras?
- ¿Puede tener efectos adversos?

Éstas son algunas de las preguntas más comunes, pero puede haber otras más. En cuanto a los efectos psicológicos, ya que es éste nuestro tema específico, no produce mayores ansiedades por ser una medicación de fácil administración y que generalmente brinda una sensación de "protección" extra, ya que su ingesta se prolonga durante varios años.

En mujeres premenopáusicas es importante aclarar que produce una menopausia precoz, con todo lo que ello acarrea.

4) Radioterapia

La radioterapia, que usualmente acompaña a la quimioterapia o se inicia después de una cuadrantectomía, está asociada con algo "malo", que debe ser combatido con el fuego. A su vez, es llevada a cabo por otro profesional, el radioterapeuta, con el que la paciente debe establecer un vínculo nuevo, diferente. Las visitas son breves y rápidas, generalmente son atendidas por un auxiliar y no hay casi espacio para preguntas y dudas. Además, hay que compartir la sala de espera con pacientes con diferentes patologías, algunas mucho más serias y deteriorantes, que inevitablemente despiertan temores acerca de lo que les "espera". El lugar, la frialdad de la sala, las máquinas y el aislamiento son elementos que remiten sin duda a la fantasía constante de la muerte próxima.

La "marquita" o "tatuaje" puede ser vivificado como un nuevo signo del "estigma" del cáncer, como otra prueba más de pertenecer a otra clase de personas: los "no sanos". ¡Cómo si la salud fuera algo tan común o fácil de definir!

Es esperable y normal que aparezcan ansiedades y miedos relacionados con:
- Sentimientos de claustrofobia.
- Soledad.
- Aislamiento de su grupo de pares.
- Problemas económicos por tener que viajar todos los días a recibir la aplicación de rayos, con el consecuente incremento del estrés.
- Cambios en el aspecto exterior de la piel, temor a las quemaduras.
- Fantasías de muerte cercana.

En este momento se pone nuevamente a prueba su capacidad de adueñarse de su cuerpo, dejar de lado la "paciencia" característica y comenzar a pedir, reclamar, exigir las necesarias explicaciones previas. Si no es posible tratar directamente con el radioterapeuta, debe pedírselas a su médico. Incluso puede solicitar cambio de horario si sabe que la presencia de algún otro paciente la puede alterar...

Es aconsejable solicitar indicaciones para una adecuada preparación de la piel y los cuidados posteriores, si es necesario puede consultar a un dermatólogo.

"Ir ahí cada día, ver a los otros pacientes, ver como están, me pone mal... Me recuerda mi 'problema'."

"Tengo miedo de que por un lado queme las células malas, pero además me dañe otras partes del cuerpo..."

5) Finalización de los tratamientos

Aunque parezca mentira, y contrariamente a lo que la mayoría de la gente supone, la finalización del tratamiento implica una etapa difícil y conflictiva.

Por un lado, la paciente siente que al fin ha llegado el momento de dejar el hospital, las visitas y horarios prefijados, los traslados, estudios, molestias, etc. Pero, por otro lado, suele aparecer un sentimiento de desvalimiento, de quedar "desprotegida" frente a la enfermedad, el temor de que "vuelva a aparecer en otro lado".

Esto se conoce con el nombre de "síndrome de Damocles" y es absolutamente esperable y posible de elaborar a través de entrevistas con el médico o con el profesional adecuado. Es aquí donde adquiere especial importancia la existencia de un entorno favorecedor, contenedor, que brinde apoyo y sentido a la vida nuevamente.

Algunas pacientes retoman su ritmo habitual con facilidad, vuelven a su trabajo o deciden concretar algún proyecto largamente postergado... Aunque puede sonar ingenuo e idealista, la idea de que la enfermedad brinda una nueva oportunidad para replantearse cuestiones existenciales es muy frecuentemente escuchada en la clínica con estas pacientes.

Y puedo afirmar a través de mi experiencia que verdaderamente esta enfermedad, que nos pone cara a cara con la realidad de la posibilidad de nuestra propia muerte, implica en muchos casos una chance de generar cambios profundos, cumplir deseos, reparar vínculos, reencontrarse con uno mismo de una manera diferente, con aceptación, sin exigencias, con una mayor comprensión de los otros y de los propios límites, como si hubiera un "antes" y un "después" del cáncer.

Hemos intentado describir diferentes momentos de la enfermedad, y los sentimientos, temores y ansiedades esperables en cada uno de ellos. Hablamos de "esperables" en relación con su intensidad y duración. Será el médico o el propio paciente quien deberá consultar con algún especialista en caso de creer que estos temores exceden su capacidad de adaptación o interfieren en sus vínculos con el entorno o en sus actividades cotidianas.

Es importante aclarar que todos estos procesos implican cierto grado de "sufrimiento", y que éste no es sólo físico, sino además emocional, social, espiritual... Por eso, lo ideal es ser atendido por un equipo interdisciplinario, es decir, un grupo de distintos profesionales donde todos conozcan al paciente y puedan aportar desde sus diferentes disciplinas la contención necesaria. Médicos de diferentes especialidades, psicólogos, trabajadores sociales, kinesiólogos, musicoterapeutas, laborterapeutas, asistentes espirituales, enfermeras, etc.: todos al servicio del paciente y su familia. Esta nueva modalidad de atención médica está instalándose lentamente en nuestro medio.

En cuanto a las posibles intervenciones terapéuticas es importante que la persona elija aquella que cree más conveniente para sí misma, en la que se sienta más cómoda, o la que más se ajuste a su estilo y forma de ser. La gama de tratamientos es muy amplia: desde la psicoterapia individual, tratamiento psicofarmacológico, terapias cognitivas, terapias ocupacionales, terapias corporales, etc., y por supuesto intervenciones familiares y/o de pareja. A modo de ejemplo, comentaré un trabajo publicado por el doctor D. Spiegel en la revista *Lancet* en 1989 (actualmente hay cientos de ediciones similares). El doctor Spiegel, de la universidad de Stanford, California (Estados Unidos), tomó un grupo de pacientes con metástasis de cáncer de mama y lo dividió en dos: uno recibió tratamiento oncológico convencional y al otro se agregó psicoterapia. En un seguimiento durante un año, se encontró que los que hicieron psicoterapia adicional tenían una disminución del 50% en la percepción de dolor, y una sobrevida de casi el doble de tiempo que la del otro grupo.

La tarea fundamental del equipo o de los profesionales intervinientes estará dirigida no sólo al diagnóstico y tratamiento, sino fundamentalmente a la rehabilitación en la que juegan un papel muy importante los grupos de autoayuda, grupos de trabajo, grupos terapéuticos, talleres de expresión y toda otra actividad que favorezca la manifestación de sentimientos, la solidaridad, la coparticipación y el intercambio de afecto y emociones.

Para finalizar, quisiera compartir algunas reflexiones. La enfermedad es un estado que puede ocurrir en cualquier momento de la vida y a cualquiera de nosotros. El cáncer es una enfermedad particularmente compleja y muy angustiante que nos enfrenta con la posibilidad concreta de la propia muerte y nos convierte en sujetos realmente "vulnerables", sentimiento que la mayoría de las personas logra inteligentemente eludir, por lo menos mientras pueda.

¿Podemos sacar algo ventajoso de esta situación? Aun a riesgo de parecer excesivamente optimista, puedo asegurar que sí. Nuestras creencias y valores van a ser puestos a prueba, nuestros deseos postergados van a poder desplegarse, nuestro amor por la vida y por los otros encontrará un espacio propio... Todo esto es posible si vivimos la enfermedad como una crisis vital de gran importancia. "Crisis" como posibilidad de cambio, de ruptura de antiguas ataduras, de abandono de pesadas "armaduras" que nos impiden, muchas veces, encontrarnos a nosotros mismos.

Por último les dejo este fragmento del libro *El Caballero de la armadura oxidada* de Robert Fisher: "Mira, si te enfrentas al dragón, hay una posibilidad de que lo elimines, pero si no te enfrentas a él, es seguro que él te destruirá".

Agradezco al doctor Guillermo Soto por la confianza depositada en mí al permitirme colaborar en su libro y termino con otra cita de este sencillo pero maravilloso libro, cuya lectura recomiendo:

"Aunque este Universo poseo,
nada poseo,
pues no puedo conocer lo desconocido
si me aferro a lo conocido."

18. Grupos de autoayuda

Algunos médicos y pacientes creemos que los tratamientos que indicamos y realizamos no alcanzan para luchar contra el cáncer. Si bien pareciera que esta afirmación es obvia, otros consideran que cumplir con las indicaciones es suficiente.

Permítanme algunas reflexiones. En la historia de la medicina, casi siempre se consideró a las enfermedades como un proceso exclusivamente orgánico, a tal punto que los problemas psiquiátricos se ocultaban, se adjudicaban al demonio o a maleficios.

Increíblemente, una parte de este pensamiento perdura en nuestros días. En el currículo de cualquier facultad de medicina del país, el tiempo dedicado al estudio de la psiquis es ínfimo. La comprensión de los comportamientos básicos, como la sexualidad o las relaciones entre pares, en muchos casos ni siquiera se comentan.

Es por eso que los tratamientos no suelen tener en cuenta las afecciones psicológicas, que en el caso de ésta y otras enfermedades indefectiblemente alteran la convivencia del entorno afectivo familiar, laboral, las relaciones de amistad... Sin embargo, los médicos poco a poco estamos reconociendo otras instancias que antes no teníamos en cuenta.

Desde la óptica paternalista que aprendimos, decidíamos los tratamientos y los indicábamos, y las pacientes no sólo los aceptaban a pie juntillas, sino que relegaban en el médico todas las responsabilidades, creyendo que con eso alcanzaba para curarse. Poco a poco, todos nos dimos cuenta de que las cosas no son así.

Las pacientes quieren participar cada vez más en las decisiones (y tienen todo el derecho de hacerlo): se informan y discuten sobre la conveniencia de cada paso... ¡y creo que eso está muy bien!

Es *indispensable* que nuestras enfermas sepan que tienen que participar activamente en su tratamiento, porque de ello depende en parte su evolución y pronóstico. *La aceptación pasiva de las indicaciones de ningún modo garantiza la curación.*

Las pacientes muchas veces tienen necesidad de conversar sobre "las cosas que les pasan" con otras personas que hayan vivido experiencias similares, y no necesariamente con sus médicos o familiares. Hay situaciones que seguramente serán mejor entendidas, que se podrán charlar con más libertad y sin necesidad de dar demasiadas explicaciones. La conformación de estos grupos muchas veces surge espontáneamente en las salas de espera de los consultorios, en las de quimioterapia y de radioterapia, donde las pacientes hablan libremente sobre sus situaciones particulares.

Una paciente que inició la formación de un grupo de autoayuda en Buenos Aires me contaba que cuando concurría a la quimioterapia veía que las que compartían el tratamiento con ella iban perdiendo el pelo, se sentían mal, progresivamente dejaban de arreglarse, de maquillarse, de vestirse bien. Esto sumía al grupo en un ambiente de tristeza y depresión que crecía día a día. Entonces, les propuso empezar a hacer cosas para sí mismas, las instó a volver a preocuparse por su aspecto externo, intercambiaron información sobre pelucas, confección de turbantes, prótesis para poner en los corpiños, clases de maquillaje, cuidados de la piel en las que hacían radioterapia. Solas se dieron cuenta de que tenían muchas cosas que decirse. Así se formó un grupo de autoayuda. Seguramente, esta historia se repite infinitas veces con distintos matices en todo el mundo y es el germen natural que fundamenta estas reuniones.

Los grupos de ayuda se extienden por todo el país, algunos tímidamente, otros con más ímpetu. Se juntan en distintos lugares, muchas veces en los hospitales donde se realizan los tratamientos. Las reuniones son coordinadas por las mismas pacientes, y en ellas se vuelcan las vivencias de cada una, reconfortándose mutuamente, conociendo nuevas propuestas, alentándose o sencillamente compartiendo sus logros y fracasos.

También existen otras alternativas para aquellas que no se sienten cómodas en los grupos de autoayuda, como los talleres de reflexión, de juegos, de expresión corporal, de pintura, de arte u otros, en los que las pacientes se expresan de distintos modos siempre con la finalidad de no encerrarse en su enfermedad y poder comprenderla mejor, hacerse cargo de ella y poder convivir con sus distintas manifestaciones. Y fundamentalmente estas alternativas sirven para darle a la enfermedad la jerarquía que realmente tiene, para poder continuar viviendo con absoluta alegría, con perspectivas de futuro, en paz con uno mismo.

Mi experiencia como médico es que a muchísimas pacientes les resulta de gran utilidad, las ayuda a manejar mejor los hechos lógicos que se asocian con su enfermedad y a superar los inconvenientes cotidianos con la ayuda de sus pares. Algunas no quieren participar de estas actividades grupales, y esa decisión es totalmente respetable.

Como habrá percibido a lo largo de la lectura, *queda claro que no hay una fórmula única e infalible para convivir con el cáncer:* cada uno hace lo que le parece mejor y elige el camino que considera más oportuno.

Tal vez, sería razonable que se interiorice de las distintas propuestas, y hasta que participe de ellas: todas tienen la finalidad de beneficiarla y de beneficiarse con su integración. Verá que usted no es a la única persona a la que le ocurren cosas, y que afortunadamente tienen solución.

También existen grupos de ayuda para familiares de enfermos de cáncer, porque lógicamente la familia y los amigos también tienen cosas que conversar y que aprender.

Aprendí muchas cosas de estos grupos, por ejemplo de APOVILO (Asociación de Pacientes Oncológicos de Vicente López), un grupo de personas que día a día está junto al enfermo de cáncer a través de sus muchísimas actividades basadas en el amor por el prójimo y el trabajo desinteresado, en quitarle el tiempo a otras cosas y en demostrar cada día que, a pesar de todo, *se puede*. Siento un gran cariño y respeto por todas las instituciones que trabajan desinteresadamente, y admiro profundamente su inmenso compromiso social.

Para comprender mejor a estos grupos y organizaciones, me voy a permitir transcribir un fragmento de un reportaje a Graciela y a Carmen, fundadoras de APOVILO:

Graciela: Todo nace en una mesa de trabajo junto con dos médicos oncólogos y una enfermera. Yo era voluntaria de otra institución donde colaboraba en el seguimiento de cáncer de mama, sentada en un escritorio, copiando datos de las historias clínicas. No era lo que deseaba hacer como voluntaria. Lo que a mí me gustaba verdaderamente era estar con la gente, tener contacto con el paciente. Pero cada institución pide lo que necesita.

Todo cambió cuando se enfermó mi suegro. Lo empecé a llevar al Hospital de Vicente López, al hospital de día, justamente al lugar donde hacía cuatro años que estaba trabajando como voluntaria. Y la cosa cambió rotundamente. Me di cuenta de cuál era la necesidad del paciente oncológico, cómo uno empieza a correr con la medicación, con la falta del sello del profesional, las idas y venidas para conseguir los medicamentos; una suma de complicaciones ante un paciente que tiene un requerimiento básico: el afectivo. Muchas veces, este ida y vuelta hacía que uno perdiera el tiempo. Otra de las cosas –que yo siempre cuento– era que cuando llevaba a mi suegro de vuelta a su casa, él se sentaba en una silla y me decía: ¿y ahora, qué? Porque de golpe, personas que siempre trabajaron se encuentran entre cuatro paredes y eso hace que se depriman mucho más, que se sientan excluidas de la sociedad. Entonces, en esa mesa de trabajo, yo contaba lo que me pasaba con mi suegro y los médicos decían: "Lo ideal sería poder reunir a la gente y saber qué tienen ganas de hacer. Si usted se anima, citamos a los pacientes que hace cinco o seis años hicieron un tratamiento y empezamos a ver de qué manera nos podemos unir para trabajar juntos". Desde ese momento, pasé de cuatro años de tareas administrativas a tener una gran actividad.

Lo que le debo con todo el corazón a APOVILO es que ellos me enseñaron a mí que tenía talentos ocultos que podía desarrollar. Que tenía capacidad para organizar, que podía llevar adelante esto. Aprendí que las personas tienen talentos escondidos y que si uno les da la posibilidad, escriben, cantan, actúan y pintan. Es una maravilla cuando se dan cuenta de que pueden hacer otras cosas distintas de las que hacen habitualmente. Esto es importantísimo.

Creo que el éxito que tuvo APOVILO es la participación activa que le dimos a la gente. No somos un grupo de profesionales que se sienta y les dice: "tenés que hacer tal cosa o tal otra". Nosotros le damos continuamente al paciente la posibilidad de que haga algo. Por eso creamos cursos de voluntariado. Son los mismos voluntarios que están en la puerta del consultorio, en el hospital de día. Allí les sirven un tecito a los pacientes, charlan con ellos, les leen.

Fuimos creando APOVILO a la medida de las necesidades del paciente. Ellos nos iban diciendo qué querían. Recuerdo cuando nos dijeron: "Vamos al club de la Municipalidad que hay clases gratuitas de natación". ¡Y fueron! Algunos aprendieron a nadar, y era algo que creían que no iban a lograr nunca.

Hicimos una experiencia con los chicos de la escuela "Florentino Ameghino", donde hicimos una pasantía: ellos tenían talleres de radio, de publicidad y de gráfica. Les pedimos que hicieran una revista y un programa de radio que se llamó "Sin Responsabilidad Limitada", en el que trabajaron toda la semana sobre el tema de la prevención. Lo más sorprendente fue que estos cuarenta chicos habían comentado en sus casas que iban a trabajar sobre el cáncer y cada uno empezó a enterarse de los casos que había en su propia familia. Los niños tomaron contacto con una enfermedad y con una palabra que no habían dicho nunca. Sabemos que los chicos son multiplicadores de la palabra. Es buenísimo trabajar con ellos. Queremos que los niños sepan que hay formas de prevenirlo, para que difundan ese mensaje.

Carmen: Yo soy de una familia de ocho hermanos y la primera con cáncer. Cuando me invitaron pensé: no soy yo sola. De repente encuentro un lugar donde preguntar, donde expresar cosas que me avergüenza preguntarles a los médicos. No es necesario hablar siempre de la enfermedad: festejamos cumpleaños, el día de la primavera, fin de año, siempre tenemos algo. Y en ese momento, parece que nuestra enfermedad no está. Ahora participa mi familia. Mi marido me acompaña permanentemente a las reuniones y a trabajar.

Otra experiencia: Ascenso por la Vida (ascensoporlavida@yahoo.com.ar)

Ascenso por la vida vio la luz a partir del ascenso al Cerro Teta a fines del 2003, pero se venía gestando desde hacía ya unos años. La esencia de esta actividad es mostrar, a través de una actividad física, cómo puede ser el ascenso a una montaña, que los límites de cada uno están más lejos de lo que pensamos. ¿A quién se le hubiera ocurrido que sería capaz de subir un cerro si nunca lo había hecho, y además si tenía cáncer?

La realización de una actividad como ésta o cualquier otra que presente un desafío lógico y factible, ayuda a ver más allá de la enfermedad. Ese fue uno de los objetivos primordiales, pero luego nos dimos cuenta de que también era indispensable llevar el mensaje de la prevención, y finalmente que todo esto podríamos hacerlo en distintas provincias recorriendo el país e intentando armar una red solidaria de gente que piensa parecido, tratando de interesar a las autoridades en este proyecto de prevención.

La tarea, como siempre, no es fácil, más ahora que ya somos "una multitud" (a Tucumán 2005, viajamos 50 personas solamente desde Buenos Aires y varias delegaciones desde otras provincias), pero estamos encantados de hacerla. Además de los ascensos simbólicos, nos ponemos en contacto con las organizaciones del lugar y juntos damos charlas de prevención para la comunidad, organizamos talleres, charlas científicas para profesionales, todo en un marco de inmensa alegría y tratando de llegar a la mayor cantidad de gente posible.

Acordamos hacerlo en el mes de octubre, que internacionalmente está consagrado a la prevención del cáncer de mama, siempre visitando distintas provincias y llevando nuestro mensaje, pero con la premisa fundamental de hacerlo respetando la idiosincrasia del lugar donde nos reciben, sus tiempos, sus realidades y creencias. Hasta ahora nuestra experiencia fue maravillosa y en cada sitio que visitamos se han creado grupos locales de autoayuda y de difusión de la prevención. Contamos con la ayuda inmensa de las pacientes, de otras ONG, de instituciones médicas y científicas, y por supuesto, estamos abiertos a cualquier otra institución que crea que vale la pena transmitir estos mensajes.

A continuación transcribo el testimonio de las chicas de SOSTÉN, una asociación civil que se ocupa de los derechos de las personas con cáncer de mama:

A principios del 2000, un grupo de mujeres operadas de cáncer de mama y algunos familiares nos reunimos para intercambiar opiniones acerca de las experiencias vividas a partir de haber recibido el diagnóstico. Coincidimos en que una de las cosas más impactantes de la vivencia fue el clima de ocultamiento que rodea a esta enfermedad, ya sea en el ámbito social, médico, e incluso el nuestro, ante la noticia del cáncer. Todo esto, sumado a la burocracia de papeles a cumplimentar y la disociación entre las diferentes especialidades que acompañan las etapas de los tratamientos, nos dejó en una situación de debilidad que nos llevó a no cuestionar, no modificar, no participar, no decidir, no resistirse. Sólo acatábamos las órdenes precisas que emanaban del marco científico. Esto nos incapacitó para poder abogar por nuestros propios derechos y asumimos una actitud de "pacientes" que no nos permitió pensar.

Habilitamos una línea telefónica gratuita: 0-800-888-8808. Cuando comenzamos a brindar atención nos encontramos con la sorpresa de que nos consultaban no sólo por casos de cáncer de mama, sino también por diferentes patologías y múltiples motivos: desde la negativa de los diferentes prestadores de salud a proporcionar gratuitamente medicación oncológica y otras prácticas de alta complejidad, hasta información acerca de prótesis, cirugía reparadora, subsidios por discapacidad, bolsa de trabajo, etcetera. Empezamos a recibir consultas desde diferentes regiones del país, y esto nos dio la pauta de la falta de información existente sobre estos temas.

Fieles a nuestras convicciones como institución y como pacientes nos presentamos aun contra la voluntad de la comunidad científica y de los funcionarios del gobierno. Fue arduo también el debate realizado con otras ONG, porque en algunas persiste la fuerte influencia del discurso médico ("no están en condiciones de defender sus derechos").

En los últimos diez años, han aparecido nuevas asociaciones de pacientes oncológicos que han observado que la atención médica de las personas que acuden al hospital público es deplorable, desorganizada, burocratizada, sin recursos financieros, técnicos, edilicios y humanos. Muchas asociaciones coinciden en que es complejo alcanzar el derecho humano a la salud, sobre todo cuando los actores sociales (médicos-pacientes) están atrapados en la cruda realidad económica de un país. En estas nuevas experiencias se va redefiniendo la importancia fundamental del "derecho de los pacientes".

Estos tres grupos, con los que colaboro activamente desde hace años, son solamente una pequeña muestra de la gran cantidad de asociaciones que trabajan con y por las pacientes con cáncer de mama. La actividad que las ONG desarrollan a diario, tiene por objetivo la mayoría de las veces reemplazar y en otras complementar las tareas que tendría que hacer el Estado. Estos grupos de trabajo habitualmente se reúnen en los hospitales y centros de salud y es muy sencillo contactarse con ellos.

Finalmente me gustaría decir que en general son muy provechosos para los pacientes en alguna de las etapas de la enfermedad y que vale la pena acercarse.

19. Las terapias complementarias y alternativas

Probablemente éste sea un tema algo espinoso y no suficientemente claro para la mayoría.

Trataremos de diferenciar a las terapias complementarias de las alternativas: las complementarias se realizan junto con el tratamiento principal, tienden a mejorar la calidad de vida y no promueven la cura mágica del cáncer; las alternativas tienden a reemplazar los tratamientos científicamente reconocidos como eficaces y sus resultados son de difícil comprobación científica, muchas veces se hacen con hierbas o productos de dudosa actividad biológica beneficiosa y, a menudo, altamente tóxicos.

Está claro que debemos tender a una medicina integrada, en la que convivan diferentes posibilidades terapéuticas que se complementen y se unan en beneficio de cada paciente, por eso, cuando se realizan actividades integradoras de tratamientos, se tiende a lograr una estrecha relación entre la mente y el cuerpo.

Se recomiendan ejercicios de relajación, actividades físicas tranquilizadoras como el yoga, el tai-chi-chuan u otras similares. Los masajes son una gran fuente de placer físico, y si se sabe estimular los puntos de presión adecuados, se obtienen resultados sorprendentes. La músico-terapia es altamente gratificante, y usualmente agradecida por los pacientes durante sus estadías en las clínicas de quimioterapia y radioterapia. La acupuntura ya es bien conocida, de eficacia comprobada en los casos de náuseas y vómitos y como alivio para algunos dolores.

Indudablemente, todo aquello que permita aumentar la espiritualidad y el bienestar actuarán como un bálsamo para el paciente y también para su entorno.

Usted va a comprobar que, a partir del diagnóstico, se le acercarán amigos y familiares con una increíble variedad de propuestas terapéuticas. Generalmente, estas terapias alternativas, que muchas veces intentan reemplazar los procedimientos tradicionales, se basan en la premisa de que son naturales (y por lo tanto, seguras) y que se usan desde la Antigüedad (y por lo tanto, eficaces). Básicamente son las siguientes:

- Vitaminas y minerales a altas dosis, especialmente vitamina C (a veces en administración intravenosa): es ineficaz y puede convertirse en un tratamiento peligroso.

- Hierbas, raíces y frutos: las plantas tienen propiedades biológicas en determinadas concentraciones (es lo que hace la industria farmacéutica), excederlas o minimizarlas puede ser tóxico.

- "Energía": procedimientos en los que una persona transmite a otra buenas ondas positivas.

- Lavados intestinales con agua o ingestión de orina: sin comentarios.

- Ingesta de larvas y gusanos de eficacia jamás comprobada.

- Brebajes de origen incierto, "sanadores", brujos, etcétera.

Convengamos que casi todas las personas diagnosticadas de cáncer o de alguna otra enfermedad grave en algún momento se sienten desamparadas y algo desesperadas, y piensan: "nada se pierde con probar, total, que puede ser peor que mi enfermedad". Este sentimiento, tan razonable, es aprovechado por una banda de inescrupulosos que ofrece su "ciencia", con garantía de infalibilidad y, por supuesto, de inocuidad.

No puedo prohibirle que lo haga, sin embargo me permito advertirle que lamentablemente hay delincuentes que se aprovechan de la desesperación de los pacientes, los estafan con tratamientos absolutamente comprobados como inútiles y, en algunos casos, perjudiciales para la salud. Tenga mucho cuidado.

Un comentario especial es para los amigos y parientes que en su desesperación acercan cualquier tipo de propuestas alternativas. En realidad, muchas veces es tanta la angustia y la impotencia que sienten que tratan de "ayudar" de cualquier manera. A ellos les sugiero que si no pueden tolerar las circunstancias por las que pasa su gente querida, no sólo se abstengan de hacer propuestas inútiles que desvían a los pacientes de la senda del tratamiento científicamente comprobado, sino que también recurran a los grupos de familiares de enfermos o de apoyo psicológico.

20. La sexualidad en las pacientes con cáncer de mama

La sexualidad de los individuos es algo que se va construyendo desde la infancia, y a lo largo de la vida pasa por distintas etapas gracias a las vivencias que tiene cada uno, al valor que tuvieron en esos momentos, y de acuerdo con la capacidad de adaptación y cambio que tengan las personas, surgirán modificaciones que podrán asociarse a situaciones más o menos placenteras.

Ese andamiaje construido por largos años, probablemente no se altere drásticamente a partir del diagnóstico de cáncer. Sin embargo, temporariamente las dificultades también pueden instalarse en el dormitorio. El sexo es uno de los barómetros con que se mide la relación afectiva y forma parte de la vida de pareja.

Sin dudas, también para esto puede ser provechosa la enfermedad, pues puede ser el punto de partida para sincerar aspectos no conversados previamente, para tratar de resolver "viejas cuentas pendientes", lograr a través del diálogo superar puntos crónicos de conflicto. A veces en las parejas existen situaciones aceptadas por costumbre, por temor o vergüenza de ser expuestas, que siempre "están" aunque no se vean ni se hablen. Como vemos a lo largo del libro, hay oportunidades que no se deben desaprovechar, y éste puede ser el momento para saldarlas.

Una de las consecuencias inevitables de los tratamientos, desde los mínimamente invasivos hasta los más agresivos, es la alteración de la anatomía. Todos tenemos formada en nuestra mente una imagen de nuestro cuerpo, con sus virtudes y defectos, que seguramente cambiará luego de los tratamientos. En el tiempo que transcurre hasta la aceptación de estas modificaciones pueden ocurrir cambios importantes en la sexualidad. Ser "sexy" no implica necesariamente tener un cuerpo soñado o sin defectos, la sensualidad se construye con las sensaciones, el carácter, la gracia, el compañerismo, la entrega, en fin, con todos los ingredientes que hacen a una relación satisfactoria. En un buen envase no necesariamente hay un buen producto; muchas veces, cuando se descarta la cáscara, nos encontramos con un individuo vacío, y esto de alguna manera lo hemos experimentado todos a lo largo de nuestras vidas.

Una buena manera de relacionarse con su cuerpo es a través de la actividad física o del arte: practicar gimnasia, yoga, danza puede ayudar a reidentificarse y volver a sentirse plenamente. También puede comenzar a pintar, dejando fluir su imaginación y a volcar en una tela sus pensamientos. También puede hacerlo en forma de prosa o poesía... Pruebe, ¡no sea prejuiciosa!

Sin ser un especialista en el tema, creo indispensable reconocer que los afectos y la sexualidad se han construido con el paso de los años teniendo en cuenta la forma de comunicarnos con nuestro entorno. Y si bien éste probablemente sea un momento duro, de esa relación edificada con el tiempo surgirán las distintas soluciones.

Sin duda es un momento propicio para mirar para adentro, para consolidar los afectos, para re-conocerse, para adquirir nuevos intereses y desarrollar talentos ocultos o desconocidos...

Es totalmente comprensible que en el postoperatorio no tenga muchas ganas de relacionarse sexualmente, mucho menos durante la quimio o radioterapia, ya que el ánimo disminuye y las molestias físicas son mayores. Pero eso no significa que deba olvidarse permanentemente del sexo.

Uno de los sentimientos más frecuentes de las pacientes es el temor de cómo las verán sus parejas. Sin embargo, muchas veces esto oculta el propio miedo sobre su nueva imagen.

Es indudable que, desde el punto de vista sociocultural, las mamas están sobrevaloradas como elemento físico y sexual. Pareciera que es indispensable tenerlas, y además deben ser grandes y destacables. Desde siempre las mamas han sido objeto de "admiración", pero tal vez en los últimos tiempos se está manifestando una especie de culto a los pechos grandes y perfectos. Pero, como todos sabemos, en nuestra vida nada es eterno y mucho menos la conservación para siempre de las formas.

Parece ridículo pero, por ejemplo, si bien se fomenta la lactancia como proceso indispensable de la alimentación y el vínculo materno-filial, se desprecia la lógica e inevitable atrofia posterior, acompañada de cierta "caída" de la anatomía. Si uno lo analiza con ligereza, puede hasta parecer gracioso, pero indudablemente implica una tara social muy seria.

Desde ya, la importancia y el justo valor que le otorgue a su cuerpo influirá en su estado de ánimo después de la cirugía. Usted podrá elegir entre lamentarse en los rincones o adecuarse a las nuevas circunstancias. Esto significa, en primer término, aceptar su nueva figura; en segundo lugar, entender que la sexualidad no pasa justamente por lo que ahora cambió, sino por todo su ser. Esto quiere decir que, tal vez, sea el momento de empezar, si es que no lo hizo antes, a descubrir que la sexualidad no pasa por los órganos visibles, sino que es producto de su actitud frente al placer. Hay pacientes que desde su operación lograron modificar sus hábitos sexuales porque pudieron salir de los esquemas en los que estaban encerradas, abriéndose a experiencias nuevas que no transitaron con anterioridad por temor, prejuicios u otras causas muy atendibles. Pero piense usted muy seriamente que, si para poder mantener o mejorar su calidad de vida va a necesitar incorporar este nuevo elemento llamado cáncer a su cotidianidad, con la inevitable revalorización de muchos de los aspectos de su vida, no es momento para dejar para más tarde la sexualidad.

Su pareja es el otro eslabón indispensable en esta cadena. No lo subestime. Si su relación está basada en sentimientos sólidos, su contraparte no solamente va a acompañarla, sino que además participará de esta nueva etapa que implica un aprendizaje para todos. Tenga en cuenta que las personas tienen tiempos diferentes para aprehender e incorporar nuevas experiencias; del diálogo surgirá el entendimiento. Una de las cosas más importantes es charlar, contar las cosas que le pasan, sus temores, sus fantasmas, su preocupación. Piense que los que más la quieren también tienen sensaciones nuevas, trate de escucharlos y que la escuchen, no prejuzgue, no quiera sentir por el otro, no necesariamente todos piensan como usted.

Una de las sensaciones más frecuentes entre las pacientes es la necesidad de sentirse abrazadas, tocadas, acariciadas. El contacto físico es un bálsamo para la mayoría y muchas veces supera el efecto de mil palabras. Pero es muy importante que recuerde que su pareja probablemente no lo sepa ni lo intuya, por lo tanto, otra vez le pido que verbalice sus sentimientos... ¡dígaselo!, sin duda les va a hacer bien a los dos.

Si bien estos temas debería conversarlos con su médico, tendrá que aceptar que no todos estamos en condiciones de discutir sobre la sexualidad, ya sea por razones de formación, desconocimiento, incomodidad u otras. Por este motivo, si su médico no puede ayudarla en este tema, consúltele cómo hacer para recurrir a un profesional idóneo, sin que esto altere la relación.

Algunas reflexiones sobre situaciones puntuales

Los médicos y el sexo

Los médicos, a lo largo de nuestra formación, tanto en la universidad como en el posgrado, estudiamos la anatomía normal y enferma de los órganos sexuales (es decir, su forma) y, en determinado momento, la fisiología de la reproducción (cómo funcionan), pero nunca el aspecto erótico. Tal vez por eso se dice que ante la sexualidad el médico se ve en apuros, porque ésta se relaciona con el placer, y la identidad profesional está basada en gran medida en el dolor.

Probablemente, a lo largo de nuestra carrera, pocas veces o nunca se consideró el tema sexual como un hecho importante dentro de los parámetros de salud de las personas. Siempre hemos estado atentos a resolver los conflictos del órgano de turno, y solamente en tiempos recientes se insiste en atender a las pacientes como un todo, *cuerpo y espíritu*, y en comprender que el desequilibrio en uno de esos componentes, si es que pudieran separarse, repercute indefectiblemente en el otro.

Cuando rara vez las pacientes nos interrogan sobre los cambios que podrían traer aparejados los tratamientos del cáncer sobre su sexualidad, las derivamos a un psicólogo o sexólogo, o contestamos sobre la base de nuestras experiencias y creencias personales, que no siempre son coincidentes con las opiniones de la ciencia.

En mi caso, cuando tardíamente en mi carrera profesional empecé a interrogar y a escuchar sobre la sexualidad de mis pacientes y sus parejas, me encontré que realmente sabía muy poco sobre el tema. Percibía que las pacientes me estaban dando mensajes muy claros, pero en un lenguaje que me costaba decodificar, por lo que tuve que buscar información en los libros y artículos científicos. En ese momento me di cuenta, tal como suponía, que sabía poco y nada.

Lo primero que tuve que aprender fue a escuchar, y también a reconocer el mejor momento y la manera adecuada para sacar el tema... ¿Es lógico hablar del deseo cuando estamos en medio de los conflictos de la quimioterapia, o en el transcurso de las sesiones de radioterapia? Por supuesto que yo pensaba que no; sin embargo, más allá de recibir tal o cual tratamiento, ¡a las personas les siguen pasando cosas! Es insólito (hubiera dicho en otro momento) que a alguien que está pasando por esas circunstancias ¡se le *ocurriera* pensar en disfrutar del placer sexual!

Como se puede apreciar, mi desinformación y probablemente mis prejuicios me impedían conversar sobre temas que son esenciales en la vida de una persona, porque la sexualidad implica indefectiblemente repasar la relación con el cuerpo, con las cicatrices visibles e invisibles, la relación de pareja, las fantasías, los fantasmas... Sí, es cierto, ¡un montón de cosas también se meten en la cama con uno!

Los médicos, aun solamente escuchando, podemos asumir el privilegio de ser el primer eslabón en la cadena de la reconstrucción de la vida sexual. Mi experiencia personal me permite decir que darle la posibilidad a la paciente, con o sin su pareja presente, de expresar lo que siente y le pasa, *sin tener que dar necesariamente una opinión*, YA ES TERAPÉUTICO.

El hecho de contar las cosas da mucha confianza, facilita la comunicación con la pareja y rompe el dique de contención que libera temores, prejuicios, mitos. En los casos que sea necesario, le dará al médico la oportunidad para hacer la derivación al profesional que considere oportuno. *Escuchar ayuda, y hablar también.*

No piense que su médico es un tonto que no sabe de "eso", o que va a avergonzarse. Probablemente sea la persona que esté más empeñada en que recupere su salud. Si el profesional se sintiera incómodo conversando sobre su sexualidad o no supiera cómo hacerlo, igual puede ayudarla a encontrar las respuestas en el lugar adecuado. SI PUEDE HABLAR DE CÁNCER, VIDA, MUERTE... ¡¿CÓMO NO VA A PODER HACERLO SOBRE SEXO?!

Obviamente, no soy un experto en sexualidad, pero los años de profesión y estudio me dan permiso de transmitir algunos conceptos que creo importantes y, esencialmente, darme el gusto de desmitificar algunos temas y explayarme en otros... En fin, acercarle algunas ideas y aclarar situaciones que a veces usted no sabe con quién consultar pues no parecieran ser tan graves como para iniciar una terapia, ni tan "serias" como para preguntarle a su médico.

Para empezar no voy a poner condiciones, pero sí le sugeriré que se relaje, que se libere de sus ataduras, que pueda leer sin complejos ni pudores, que se detenga en aquello que le llama la atención, que mire para adentro y, finalmente, que pueda conversarlo con quien quiera, aunque me temo que el "alguien" más interesado va a ser su pareja.

Allá vamos. Comencemos por decir que usualmente las etapas por las que atraviesa la respuesta sexual de hombres y mujeres son cuatro:

-Deseo

-Excitación

-Orgasmo

-Resolución

Completar exitosamente este camino es ideal, pero sin embargo muchísimas veces el trayecto se detiene en algunas de estas "estaciones", y esto no significa estar enfermo ni ser una persona "rara" sexualmente hablando.

La primera etapa, el *deseo*, depende esencialmente de su imaginación. Por ahí, habrá escuchado que el principal órgano sexual es el cerebro, y ciertamente algo de eso hay.

Las hormonas que aumentan el apetito sexual son los *andrógenos*. Esta hormona masculina se elabora en los testículos, y en las mujeres en las glándulas suprarrenales y en los ovarios. Su producción es más o menos constante durante toda la vida, incluso en la menopausia. De todos modos, como expresé anteriormente, todo comienza en su cabecita.

Es muy normal que durante las primeras etapas del tratamiento de su enfermedad su mente esté ocupada en resolver otros temas más o menos urgentes, pero una vez estabilizada emocionalmente la recuperación de "las ganas" depende de su interés y del permiso que se dé para volver a sentir deseos. Pensar en el sexo no es una locura, sino tener en cuenta un ingrediente normal en su vida, una fuente inmensa de placer que no debe dejar de lado.

Usted podrá decirme que "ya no se acuerda cómo era", y para eso afortunadamente existen la imaginación y las fantasías. Nadie podrá juzgarla por "ratonearse" un poco, si con eso puede estar otra vez en carrera... ¿O me va a decir que nadie pensó alguna vez en otra cosa (personas, situaciones, posiciones, etcéteras múltiples)?

Sin deseo, es muy difícil tener una relación sexual satisfactoria, ¡y lo mejor de todo es que el remedio para lograrlo está dentro suyo! Tómese su tiempo, permítase soñar, vuele un poquito... no se va a caer... Y si se da un porrazo, puede reintentarlo tantas veces como quiera.

La *excitación* está muy relacionada con el estímulo sensorial. Cualquiera sea su enfermedad y tratamiento, difícilmente se pierda la capacidad de dar y recibir caricias y además de sentir placer a través de ellas. Muy a menudo escucho en las entrevistas que las recién operadas *necesitan* ser abrazadas, acariciadas, tocadas, con una intensidad mayor.

Esta forma de relacionarse, a menudo olvidada, merece ser vivenciada, pues seguramente le resultará gratificante. Las caricias no necesariamente tienen que ser en las partes de su cuerpo que le dan placer sexual, y que por supuesto varían en cada persona, aunque generalmente incluyen el clítoris, los pezones, los glúteos, la cara interna de los muslos, los labios, la nuca... Como le decía antes, lo sensorial tiene mucha relación con esta etapa de la excitación. Cobran importancia los aromas, los olores, las miradas, las luces, el ambiente donde se encuentra con su pareja, y todo aquello que la ayude a sentirse mejor.

El *orgasmo* probablemente sea "el cuco" del sexo. Aunque se habla mucho, pocas veces se hace con fundamento. Tratando de describirlo "fisiológicamente", diríamos que los genitales están turgentes (llenos de sangre), los músculos que los rodean se contraen rítmicamente con un empuje pélvico involuntario, la secreción de fluidos vaginales es máxima, el corazón late rápidamente, la transpiración tiene un olor especial, aumenta la sensibilidad de la piel, especialmente en la zona del clítoris desde donde se expande al resto del cuerpo.

En realidad la descripción previa no es más que el relato de una sucesión de procesos físicos, pero no alcanza para explicar lo que "se siente", que en definitiva es lo esencial. La sensación de placer asociada al orgasmo es algo íntimo que varía de persona a persona, y que indudablemente debe estar relacionada con sus vivencias personales.

Algunas mujeres tienen mucha dificultad para tener orgasmos, y otras pueden tener varios durante una misma relación sexual... ¿Qué las hace diferentes? Desde el punto de vista estrictamente médico, la anatomía y la fisiología (el funcionamiento de los órganos), salvo rarísimas excepciones, provee de los mismos componentes a todas las personas, es decir que si el orgasmo dependiera de la anatomía y la fisiología, todo el mundo estaría en condiciones de sentir lo mismo. Entonces, ¿por qué no es así de sencillo? Porque las sensaciones pasan por su espíritu, su psiquis, su mente, su interior, o como quiera llamarlo.

¿Se puede concluir entonces que el orgasmo no es órgano-dependiente?... ¡SÍ, DEFINITIVAMENTE! Es más, tampoco necesariamente es penetración-dependiente. Infinidad de mujeres tienen un orgasmo solamente con el estímulo de algunas partes de su cuerpo, ya sea durante la penetración o no. El concepto de que la mejor o la única forma de tener placer es con la penetración del pene en la vagina es absolutamente erróneo, usted puede disfrutar de cualquier otra manera sin que ello signifique una anormalidad.

Tomémonos unos segundos para pensar en una relación sexual entre mujeres... ¿si no existiera un adminículo que reemplace a un pene, no tendrían placer? Muchas veces mis pacientes me consultan si "son o no normales" porque tienen orgasmos de tal o cual manera y no con la penetración. Esta realidad también se acompaña de sentimientos de culpa, porque fuimos educados en el concepto de que *lo normal* es una relación clásica como la que todos conocemos, mediante la postura convencional y la actitud apropiada... Ahora, dígame, si una señora me dice que la pasa fantástico teniendo sexo mientras hace la vertical o colgada de la araña del techo... ¿Qué le digo?... ¿La mando al psicólogo, a hacer terapias sexuales o le pido la fórmula?... La última palabra, especialmente en este caso, es toda suya.

A esta altura del relato, siento la imperiosa necesidad de decirle que el cáncer no afecta el orgasmo. Su capacidad para dar y recibir placer sigue intacta. Sí es cierto que a veces las cosas son más complicadas: dolor, dificultades para el movimiento, cicatrices y ausencias son motivos suficientes como para alterar su rutina, pero no para anular su potencialidad orgásmica.

La *resolución* es la etapa final de este camino, y es el regreso del estado de excitación a la calma, al reposo. Usualmente comienza minutos después del orgasmo; si no lo hubo, se demora un poco más. La actividad cardíaca se enlentece, la respiración es más calma y uno se siente relajado.

Las consultas más frecuentes
(y algunos sencillos truquitos para pasarla mejor)

Descubrirse, mi cuerpo cambió

Como ya dijimos, una de las consecuencias de la cirugía es que inevitablemente deja alguna cicatriz visible y un cambio en la forma y/o el volumen de la mama.

Esta situación afecta en menor o mayor medida a casi todas. Debido a esto, algunas mujeres no se miran al espejo ni se muestran más, usan corpiño en forma constante y no se lo sacan ni en las circunstancias más íntimas; otras no se tocan y hasta para bañarse tienen que hacer malabares; varias me contaron que la presencia de las cicatrices les ocasiona una gran angustia y depresión.

¿Qué podemos hacer? Es indudable que estas "marcas" adquiridas con la enfermedad afectan especialmente al espíritu mucho más que al cuerpo. Infinidad de factores se ponen en juego, fundamentalmente los que tienen que ver con la imagen corporal, feminidad, sensualidad, etc., como ya se comentó en otros capítulos. Sin embargo, como siempre, la última palabra la sigue teniendo usted.

Enfrentarse a la cicatriz puede ser una tarea más o menos dura; para algunas, durísima. *Pero nadie puede hacerlo por usted.* Le aseguro que es normal que se tome su tiempo para verse y tocarse, pero cuanto antes lo haga, más rápido va a superar ese momento. Aunque no le guste lo que ve, no deje de hacerlo. No porque yo sea un masoquista y le esté proponiendo una nueva clase de tortura, sino porque a fuerza de mirarse y tocarse va a aceptar este nuevo componente de su vida.

Aunque le parezca ridículo, trate de ver las cualidades positivas de esta situación... ¿No las encuentra? Bueno, empiece de nuevo. Hágalo las veces que sea necesario, y no piense que no existen alternativas positivas. En cualquier hecho de la vida siempre hay cosas buenas para rescatar. Cuando las descubra, trabaje sobre ellas, disfrútelas. Su revalorización hará que los demás también se desprendan de las imágenes negativas y comprendan las que nunca parecieron buenas nuevas.

Truquitos

-Podríamos empezar por una buena ropa. Póngase algo que le quede bien y mírese al espejo... Sí, por supuesto que todos tenemos algo que nos gustaría cambiar, pero en este momento le pido que se concentre en las cosas que le gustan de su cuerpo (¿tiene buenas piernas, buena cola, lindos ojos?). ¿Y? ¿Qué tal?

-Bueno, ahora sí, mire lo que no le gusta... Mire de nuevo. ¿Está segura de que es tan terrible?

-Esa parte que no le convence... ¿No tendrá algo que no la haga tan fea? Trate de encontrarlo.

-Si ya no está tan convencida de que "eso" es tan horrible, puede sacarse la ropa y repetir lo anterior. Más tarde o más temprano se va a dar cuenta de que sigue siendo tan bella como antes, que esa cicatriz seguramente dejó más marcas en su cabecita que en el cuerpo. Su hermosura no pasa solamente por sus pechos o por tener o no una cicatriz, por favor, no lo olvide nunca.

-Entonces, ¿ahora que hará? ¿Mostrará u ocultará? Tranquila, tómese su tiempo y después proceda como mejor le parezca. Espere el momento oportuno y actúe como quiera.

El "momento oportuno"

Su tiempo para reanudar las relaciones sexuales es solamente suyo, seguramente diferente al de cualquiera de sus vecinos. ¿Qué quiero decir con esto? Que no existe "el" momento oportuno.

Reiniciar su vida sexual depende de muchas cosas, algunas se relacionan con su estado físico, pero la mayoría con su espíritu. En determinadas etapas de su tratamiento, si bien es muy poco frecuente, es posible que no se sienta en las mejores condiciones físicas, ya sea por debilidad, dolores o lo que fuera. Sin embargo, la mejor idea es no esperar demasiado.

Seguramente alguna vez le habrá ocurrido que cuando por cualquier motivo pierde "el ritmo" de la frecuencia de sus relaciones sexuales, se hacen cada vez más espaciadas y a veces rutinarias. El mejor consejo que le puedo dar es que las reinicie lo antes posible.

También es cierto que, para algunas parejas, su "nueva" primera vez puede ser decepcionante: no encuentran la mejor postura, el miedo de lastimar o de hacer doler al otro les impide expresarse físicamente, sienten vergüenza y temor de mirar y tocar, no saben qué va a sentir el otro o si tendrá erección... o si tendrá orgasmos... Aunque parezca tonto, muchos tienen que volver a aprender a hacer el amor.

Acuérdese de que en algún momento (¡¿nada más que en alguno?!) le dije que el cáncer es el inicio de una nueva etapa. Créame que muchas veces también es así en la sexualidad.

Truquitos

-¿Por qué no prepara una cita? Ropa adecuada, velas, vinito, comida rica... Mande a sus hijos a la casa de no sé quién y disfrute de la intimidad con su pareja.

-Elija el lugar y el momento, y dígaselo a su pareja para que él/ella también participe de este acontecimiento.

-No se impongan exigencias. Actúen libremente, sin obligaciones de ningún tipo.

-No se tracen un camino a recorrer, ni metas... Viajen y vean hasta dónde llegan.

Las cicatrices

Los tratamientos para el cáncer de mama, y especialmente los quirúrgicos, dejan cicatrices en el cuerpo y en el espíritu que a veces pueden alterar la sexualidad.

Una de las cosas más notorias es el cambio físico. En la inmensa mayoría de los casos, esta alteración en la forma de sus mamas es vista como algo desagradable, un estigma que recuerda permanentemente a la enfermedad y que además arruinó la estética corporal. Acostumbrarse a esta nueva cicatriz a veces lleva su tiempo y esta situación no siempre es bien resuelta. Con mucha frecuencia veo que a mis pacientes no les gusta mirarse cuando realizo las curaciones en el postoperatorio inmediato, y a veces, tiempo después, siguen sin enfrentar el espejo y sin sacarse la ropa delante de sus parejas.

Es indudable que las mamas ocupan un sitio de importancia en la vida de una mujer, a veces demasiado valorado desde lo estético (no hay más que mirar los carteles de propaganda por la calle, las revistas o la televisión), pero que tiene mucho que ver con las vivencias propias: su relación con la maternidad, como elemento erógeno, de seducción, de placer, de orgasmo y seguramente muchos etcéteras más. "Reubicarlas", con su nueva e inesperada deformidad, es una tarea que a veces para algunas implica un gran esfuerzo. Y no siempre se resuelve de la mejor manera.

Siguiendo mi idea original, enfrentarse abiertamente a esta cicatriz puede ser una de las mejores opciones... A ver, mírese... diga qué es lo que ve... Indudablemente, con sólo mirarse no se resuelven las cosas, pero desde ya es un buen primer paso. Trate de no mirar solamente la cicatriz; véase como una persona completa, pero que ahora tiene una marca en el cuerpo... ¿Eso la hace diferente? Sí y no. Sí, porque es obviamente visible. No, porque no le quita nada de lo que usted era o tenía anteriormente. ¿Qué quiero decir? Que usted no es más ni menos mujer por tener o no una cicatriz, o una mama, o un pie, o un brazo menos...

El cuerpo es la cáscara de las personas, los valores están dentro de cada uno. ¿Cuantos cuerpos lindos conoce de personas que más vale no recordar? ¿Cuántos "feítos" nos enseñan todos los días lo que vale la vida? ¿Sabe cuántas personas a partir de accidentes o enfermedades han encontrado el verdadero sentido de su existencia? ¿No se emociona y admira a aquellos que salen en los medios de comunicación y que han superado las limitaciones del cuerpo para ser ejemplos a imitar?

Ahora vuelva a mirarse... ¿Le sigue pareciendo que es para tanto?... ¿Sí? Bueno, no hay problema, vuelva a intentarlo en otro momento, hasta que encuentre la salida. ¿Cambió de idea? ¡Bravo!

¿Le preocupa lo que puede pensar su pareja por "esa" marca? Bueno, pregúntele.

No se sorprenda si le dice que ni siquiera pensó en eso. Tenga la plena seguridad de que no la eligieron por sus pechos... O tal vez sí... Pero, ¿cree que una relación basada nada más que en un par de... senos tiene la solidez suficiente como para sobrevivir a las vicisitudes de la vida?

Truquitos

-Si no le gusta que la miren, al principio puede evitar algunas posiciones, como por ejemplo estar arriba de su pareja.

- ¿Qué tal alguna ropita especial, algo que provoque fantasías, que no muestre todo pero que insinúe mucho?

-Si las mamas eran objeto de gran placer y orgasmo, y fue tratada con una mastectomía, debe cambiar el sitio del placer. Usualmente en el cuerpo hay muchos lugares con los que se goza a través del tacto. Muchas personas no los conocen o han hecho de su relación algo tan rutinario que se "olvidaron" de explorar su cuerpo... ¡No me diga que éste no es un excelente momento para empezar! Algunas parejas me contaron que la cicatriz se convirtió en un sitio de exquisita sensibilidad y que las caricias en ella son sumamente placenteras...

-Como puede ver, alternativas hay a montones... Entonces, ¡¿qué está esperando?!

La depresión

Muchas veces el desánimo nos invade. En cualquier etapa de su enfermedad es normal que se deprima. Casi le podría decir que es una suerte que eso le ocurra, porque si no, algo no andaría bien.

Cuando una persona es informada de un cáncer ve conmovidas sus estructuras básicas porque deberá enfrentar situaciones que no conoce, que le asustan, que ponen en riesgo su vida, su alegría, sus intereses, sus proyectos y mucho más.

Esta depresión normal tiene una duración variable de acuerdo con la personalidad de cada uno, y en aquellas que no pueden superarlo, debe ser tratada. Además de las terapias psicológicas, la psiquiatría ha investigado y desarrollado una gran variedad de medicamentos altamente eficaces para disminuir los síntomas de la depresión, con excelentes resultados. Los médicos y la familia debemos estar atentos a estos síntomas, conductas, por haber hecho esto o aquello, por... todo lo que se le pueda ocurrir. Tal vez en ese momento pueda necesitar de la palabra esclarecedora de algún ministro o sacerdote de cualquiera de las religiones. Sin embargo, me voy a permitir decirle que ninguna religión que proponga el perdón y la redención de los errores cometidos castiga a nadie. Sin querer meterme en conflictos teológicos, estoy absolutamente convencido de que Dios no es a nuestra semejanza y, por eso, su bondad indudablemente debe ser infinita, probablemente de una forma poco conocida por nosotros, y su amor por estas criaturas, inmenso. ¿Entonces, cómo pensar que la puede castigar con un cáncer de mama?

Por las dudas, también le aclaro que el cáncer no se contagia. Ni con el contacto diario ni con los partos ni con el sexo ni con los utensilios diarios ni por compartir la ropa, tomar mate, etcétera.

También hay muchas cosas que puede hacer, sin necesidad de tratamientos, para disfrutar de aquello que le da satisfacción: pasear, cuidar las macetas o el jardín, tener una mascota, leer, tejer, escribir, pintar, hacer teatro... Son cosas que están al alcance de cualquiera, y usualmente dan placer. Una de las mejores terapias es la de expresar inconscientemente lo que provoca la angustia, y probablemente las mejores actividades sean la pintura, el dibujo, la escritura, la expresión corporal y el teatro. Además todas ellas son muy placenteras y agradables.

La actividad física es una de las fuentes más inagotables de placer. Como mencionamos anteriormente, la liberación de endorfinas (sustancias del cerebro que se incrementan con todo aquello que le gusta) que trae aparejada cualquier deporte, las caminatas o andar en bici es increíble. Si además lo hace al aire libre, disfrutando del sol, el verde, el canto de los pajaritos, los sonidos del viento, la contemplación del agua, dejándose literalmente envolver por toda esta sensualidad de la naturaleza, no puede sentirse mal. No me puedo olvidar del yoga, que conjuga lo físico con lo espiritual. También vale la pena. La actividad física está al alcance de todos: jóvenes y viejos, flacos y gordos, hábiles y torpes. Solamente tiene que dedicarse un rato para usted, y aprovechar el mejor momento. ¡No me diga que no tiene tiempo!

Truquitos

-No tenga temor de hacer un tratamiento psicológico o psiquiátrico si cree que la va a ayudar o su profesional de confianza se lo recomienda.

-Descubra la actividad manual o intelectual que le gusta, o reencuéntrese con la olvidada.

-Acérquese al arte: la pintura, el teatro, la danza, la escritura. Si tiene ganas pruebe con algunos garabatos... Y si se entusiasma, siga sin miedo.

–Deténgase a mirar su entorno de otro modo: "oblíguese" a aprovechar el sol, los paisajes, la noche...

–Haga deportes o actividad física acorde a su edad y condición atlética.

–Disfrute del sexo sin culpas, porque no contagia.

–Trate de protegerse para que los problemas ajenos la afecten solamente en la medida de lo necesario. Piense mucho en las cosas positivas de su interior.

–Lea buenos libros, vea buenas películas, escuche linda música. Disfrute de todas esas sensaciones.

La menopausia

La menopausia es la finalización de las menstruaciones, una de las tantas manifestaciones del climaterio.

Como en esta etapa disminuye la producción de estrógenos ováricos, todos aquellos órganos que dependen de esas hormonas tienden a la atrofia, como la vagina, los labios mayores y menores de la vulva.

La falta de estrógenos produce un adelgazamiento de la mucosa vaginal, menor secreción de fluidos y por ende menor lubricación y disminución de su elasticidad. La vulva también se asocia a estos cambios. Como consecuencia de esto, las relaciones sexuales se vuelven progresivamente más dificultosas, dolorosas y menos placenteras. De esta manera, cada vez se dedica menos tiempo al placer sexual, y los encuentros íntimos se van espaciando cada vez más.

Si la causa es la falta de estrógenos, la solución obvia sería recibirlos en cualquiera de sus formas (cremas, comprimidos, parches). Pero, como hemos dicho con anterioridad, el cáncer de mama es estrógeno-dependiente y por lo tanto el uso de estrógenos estaría en principio contraindicado. ¿Entonces, qué hacer? ¿Resignarse a no tener más sexo? ¿Sufrirlo estoicamente?

Una de las soluciones es proveer a la vagina de una lubricación adecuada, que se puede conseguir simplemente con cualquier crema que no tenga alcohol o con los productos especialmente diseñados que se venden en las farmacias. Si bien la lubricación no mejorará la atrofia, permitirá una penetración menos dolorosa y una relación más satisfactoria.

En aquellos casos en que la atrofia es muy manifiesta y aun con lubricantes no se puede tener sexo, o en los que la atrofia vulvar hace que "se cierre" el introito, se podrá usar una crema con estrógenos. Son de uso local y por tiempo breve. Supervisada por su médico (previamente se debe descartar la presencia de lesiones sospechosas con los estudios complementarios), puede lograr mejoras en los órganos sexuales que permiten restablecer el ritmo y el deseo sin temor.

El climaterio también puede traer aparejada la disminución de las hormonas que estimulan la libido, aunque, como ya dijimos, el deseo comienza en la cabeza. Muchas veces, la administración de bajas dosis de andrógenos revierte el cuadro.

¿Durante el climaterio cambia el cuerpo? Sí. Hay una natural redistribución de la grasa corporal, por lo que se pueden perder algunas curvas y ganar otras (¡aunque no en los lugares que uno quería!). También puede aumentar el vello facial, las arrugas, disminuir la vista y algunas "otras delicias". Tranquila... Todo tiene solución.

Si quiere mantener la silueta, algo de dieta por aquí, algo más de actividad física por allá, en fin, más sacrificios. ¿Vale la pena? Otra vez, usted es la dueña de las respuestas.

Truquitos

-El uso de lubricantes como juego sexual puede dar innumerables y, tal vez, de desconocidos placeres.

-Jugar a buscar la posición menos molesta, experimentar riéndose, divirtiéndose.

-No perder el gusto por la lencería. ¡No se vista de viejita!

-Luchar contra el tiempo es una batalla perdida. Definitivamente.

Quimioterapia

Durante la quimioterapia es muy normal que se sienta con menos fuerza, que tenga menos ganas, que sienta angustia y/o reacciones físicas molestas como náuseas o falta de apetito. También los cambios en su aspecto pueden desagradarle, como la caída del cabello o el aumento de peso. ¿Éstos son motivos suficientes como para "olvidarse" de los placeres de la alcoba? Para algunas sí y para otras no.

Si se siente mal, sería muy infantil decir que "aquí no ha pasado nada", pero también es muy ridículo que, si está bien, se esconda o crea que las relaciones sexuales la van a perjudicar. Nada de lo que haga en la intimidad puede empeorar su situación, al contrario, recuerde que el sexo muchas veces "es terapéutico".

Es muy pero muy probable que dar y recibir caricias la ayude a sentirse realmente viva, querida y aceptada tal como es ahora, llena de cosas para dar y recibir. ¡Como fue siempre!

Recuerde que no la eligieron por el pelo, el peso o lo que fuere. La eligieron como persona, con todo lo que ello implica. ¿Acaso en su vida matrimonial nunca tuvo que estar en cama por alguna "ñañita"? ¿O es que estamos frente a la súper mujer? No mida lo que puede hacer, tomar o dar... simplemente hágalo. Se va a sentir mejor.

Truquitos

-No se exija el día que se hace la quimio o los siguientes inmediatos.

-A medida que van pasando los días, se sentirá mejor.

-Recuerde que nada de lo que haga en la cama va a perjudicarla.

Dolores, fracturas, linfedemas

En algunas situaciones, los dolores pueden ser muy molestos. Situaciones de fracturas, de metástasis óseas o linfedema hacen que se sienta incómoda, desganada, con temor propio o el de su pareja de hacer algo que empeore las cosas y hasta le ocasione más dolor.

Si tiene deseos de tener relaciones sexuales, debe probar y encontrar la mejor alternativa. Mucho antes de que nosotros nos ocupáramos del cáncer, se habían descrito e ilustrado decenas y decenas de posiciones para hacer el amor. ¿Así que no las conoce? ¡Pues mire que buena oportunidad para empezar! ¿Cree que va a ser muy complicado ubicar justo la que necesita? ¡Qué poca imaginación!

Por supuesto que no hará nada que pueda lastimarla, no está en una maratón o en una carrera contra el tiempo... Nuevamente tiene que tomarlo con calma, charlar con su pareja, y hacerlo.

Truquitos

-Si piensa que algo le va a doler, tome un analgésico antes de ir a la cama.

-Use almohadones, almohadas y todo aquello que le amortigüe el peso del cuerpo y le quite molestias.

-Seguramente algunas posiciones le van a permitir tener más satisfacciones que otras.

-No se desanime con los pequeños fracasos... No son nada más que eso.

-No se olvide de que vale la pena intentarlo.

21. Aproximaciones a un tema "tabú": sexualidad y cáncer vistos desde la psicología[*]

"Cuando por primera vez escuché la palabra cáncer sentí que el mundo entero se me venía abajo... Ahora, aunque suene raro, a veces pienso que le tengo que dar las gracias a la enfermedad... me permitió revisar un montón de cosas de mi vida y empezar a cambiarlas... abrir las alas y empezar a volar."

Las palabras de mi primera paciente, cuando empecé a trabajar en esta especialidad, impactan tanto por su sinceridad como por lo extrañas que pueden sonar para quien las escucha desde afuera... Pero, para aquellos que trabajamos en este campo, están llenas de sentido y sirven para reflexionar sobre muchas cuestiones relacionadas con los aspectos psicosociales de esta enfermedad.

Hemos hecho referencia ya al impacto que produce el diagnóstico de cáncer, tanto en el paciente como en su entorno, incluso en el equipo tratante. Del mismo modo, los distintos momentos del tratamiento y los métodos utilizados despiertan ansiedad y temores que son totalmente normales frente a la amenaza que representa la enfermedad para nuestra integridad, para nuestro futuro, para nuestra fantasía de "inmortalidad"... Además, es una enfermedad que está asociada con una imagen de deterioro físico y "fealdad", lejos de los ideales de belleza y perfección que promueven la publicidad y los modelos culturales.

En el caso particular del cáncer de mama, la mujer se ve afectada en una parte de su cuerpo con una carga simbólica muy fuerte, relacionada directamente con su identidad femenina y con su

[*] La autora de este capítulo es la licenciada Guadalupe Maroño.

capacidad de ser exitosa y atractiva. Por lo menos, así lo vive desde cierto marco sociocultural. De este modo, la lesión de este órgano repercutirá en su vida entera, "lesionará" los cimientos de sus afectos, y en especial lo que se refiere a la sexualidad.

Es así que frente al diagnóstico de un nódulo posiblemente "maligno" la primera preocupación que generalmente expresan las pacientes es su temor a la "pérdida" del órgano, más que a la posibilidad de los tratamientos necesarios para cuidar su salud. Tanto la mastectomía como la cuadrantectomía son temidas por el "cómo me va a quedar" y por la posibilidad o no de una reparación estética posterior. Lo que se ve pasa a ser más importante que la vida misma...

Retomaremos aquí algunos de los significados con que este órgano está cargado, comentados en capítulos anteriores. Aunque éstos varían de mujer a mujer según características personales, socioculturales y familiares, podemos sintetizarlos en los siguientes:

- Es un órgano que remite a su imagen corporal y tiene que ver con su autoestima.
- Constituye un atributo que la hace sentirse atractiva.
- Está relacionado con su identidad femenina.
- Está integrado a su sexualidad.
- Lo refiere a su capacidad de "dar alimento".
- Remite a su capacidad reproductora.

A través de diferentes palabras todas las mujeres coinciden en expresar temores referidos a la pérdida de amor y aceptación de sus parejas, y a la pérdida de su capacidad de atraer o despertar el interés de los otros...*"Es como si fuera media mujer... ¿Quién me va a mirar así?".*

La utilización casi constante de la función erótica de la mama en la publicidad transforma su pérdida en una catástrofe existencial frente a la cual cada mujer reaccionará con sus mecanismos de defensa habituales, su estilo de personalidad y de acuerdo con su historia previa. Las reacciones frente a esta pérdida se vinculan más con la función simbólica de la mama que con su función biológica, es decir que se relaciona más con lo erótico como un órgano que le permite relacionarse con los otros, en especial con su pareja, y es vivida como una "herida" para la imagen que tiene de sí misma.

Pero además la mama participa de la creación del esquema y de la imagen corporal. Ésta es una estructura psíquica por la cual cada órgano o segmento del ser humano tiene una representación en nuestra mente y le asignamos funciones y valores impuestos por la cultura. "Por lo tanto cualquier agresión, resección o disfunción de una parte del cuerpo implica un menoscabo o modificación real y también psicológico y sociocultural (J.

Schavelzon)." Esta alteración de la imagen corporal es vivida como una pérdida y representa para la persona un duelo real.

Por todo esto, es imposible exigir que la paciente sienta que "aquí no pasó nada". Esto es signo de puerilidad y candidez, tanto entre los miembros de su entorno como en los profesionales tratantes... Y además es un camino falso para intentar ayudarla... Para la paciente, en realidad, ahora "todo es diferente".

Dentro de este "todo", de este "mundo que se viene abajo", no podemos dejar de lado el área de los afectos, y, dentro de ésta, la que tiene que ver con la sexualidad, más específicamente con la genitalidad.

¿Qué es un afecto? En términos generales es la calificación que damos a un sentimiento o disposición hacia un objeto externo y que tiene una implicancia positiva en el sentido de amor, atracción, preferencia o cariño. Pero, además, en sentido amplio es posible también incluir: odio, rechazo, aversión, rencor (aunque estos otros afectos generalmente tienen "mala prensa", forman parte de nuestros sentimientos y deben ser registrados y reconocidos).

Esto nos lleva a pensar en el tema central de este capítulo: sexualidad y cáncer. Podemos afirmar que existe en el paciente con cáncer cierta desadaptación afectiva que impacta sobre el área de su sexualidad, aunque esto depende de características personales y de su entorno particular. Es esperable entonces que las pacientes sientan afectada su vida sexual y eso es lo que describe la gran mayoría.

"Ya no tengo ganas como antes... ¿Cómo se lo digo a mi marido? A él no le importa... pero yo no soporto que me toque."

Pero antes de entrar en detalle acerca de las modificaciones que surgen en esta área vital, debemos ponernos de acuerdo acerca de lo que entendemos por sexualidad, específicamente: la sexualidad humana.

¿Qué es la sexualidad?

La sexualidad humana tiene que ver con cierto impulso que necesita una satisfacción, para lo cual se dirige en busca de algún objeto (que puede ser externo o puede ser su propio cuerpo) que le permita la descarga. Procede por analogía con el impulso de la nutrición: el hambre. En psicología se lo denomina "libido".

Sigmund Freud fue uno de los que más se dedicó a estudiar este tema y el que además se ocupó de informar acerca de la presencia de este impulso desde el nacimiento. Formaba parte de la opinión popular la afirmación de que la pulsión sexual, la libido, no estaba presente en la infancia y sólo se despertaba en la pubertad. Sin embargo, podemos afirmar que la sexualidad comienza desde el momento del nacimiento y se expresa en diferentes manifestaciones a lo largo del desarrollo.

Inicialmente no está localizada ni focalizada y tiene modalidades diferentes de satisfacción: chupar, morder, defecar, masturbarse. Pasa por diferentes momentos o fases ligados a diferentes partes del cuerpo que se denominan "zonas erógenas": boca, ano, genitales. Se consolida y unifica en la adolescencia, etapa en la que se organiza referida a los órganos genitales, además de elegir un "objeto" sexual masculino o femenino.

Como ya dijimos, existen manifestaciones de este impulso sexual desde el nacimiento. Lo que ocurre es que una peculiar "amnesia" oculta los primeros años de vida, hasta el séptimo u octavo año de la primera infancia. Esta amnesia hace que no recordemos impulsos sexuales y actividades relacionadas con la sexualidad que son comunes en todos los niños y que se desarrollan con espontaneidad hasta que, por obra de la cultura, a través de la educación, estos impulsos son sofocados y "dominados" por medio de la construcción de ciertos "diques" que permiten encauzar el curso de la pulsión sexual y logran que el ser humano se dedique a otras actividades más "beneficiosas" para la sociedad. Estos diques anímicos que se construyen gracias al esfuerzo de padres y educadores son: el asco, el pudor y los sentimientos morales.

La sexualidad infantil se caracteriza por ser:

- "Auto-erótica", es decir que se satisface con el propio cuerpo.

- Su meta sexual se encuentra subordinada a una determinada zona erógena, es decir, un sector de la piel o de las mucosas en el que las estimulaciones de cierta clase provocan una sensación placentera que se busca para aliviar el displacer producido por un peculiar estado de tensión que surge de esta misma zona.

- Se apoya sobre una determinada función vital relacionada con el organismo, por ejemplo: la alimentación, la defecación.

La sexualidad infantil busca como meta lograr la satisfacción que se obtuvo al realizar la primera experiencia que provocó placer... Por ejemplo, la primera mamada, el calor de la leche y del cuerpo de la madre...

La sexualidad adulta normal no es *una sola*, puede incluir todas las formas de satisfacción correspondientes a las diferentes fases por las que atravesó a lo largo de su desarrollo. Nada en sexualidad puede ser considerado patológico o perverso. Sólo consideramos perversión a aquello que sustituye a lo "normal" en forma exclusiva y en todas las circunstancias, es decir, con fijeza. Una vida sexual rica y plena puede incluir ciertas "transgresiones" como ingrediente que nunca falta en las personas sanas.

Según lo dicho anteriormente, como parte del proceso de "domesticación" del ser humano y de la necesidad de incluirlo en la comunidad y la cultura, los padres y educadores se encargan de enseñarle a controlar y dominar estos impulsos. Vergüenza, asco, sentimientos morales... El superyó y la represión se utilizan para que los impulsos sexuales queden latentes, por lo menos por un tiempo, y que puedan dedicarse a actividades más "importantes".

Aquí surge el gran conflicto. Por un lado necesitamos estar en sociedad e incluirnos en la cultura, pero, por otro lado, nuestra pulsión sexual empuja y busca imperiosamente la satisfacción. ¿Qué ocurre con esta energía sexual, con nuestros impulsos, qué hacemos con ellos, cómo les damos satisfacción sin transgredir las normas que nos hacen esencialmente humanos?

Suele ocurrir que muchas de estas trabas, necesarias para el desarrollo de la persona, perduran y conviven con nosotros toda la vida y en toda circunstancia, volviéndose rígidas e inamovibles, impidiendo el logro de una sexualidad plenamente feliz. Es así que ciertas prohibiciones en relación con la sexualidad son las responsables de inhibiciones que nos impiden relacionarnos con nuestro propio cuerpo y con el de nuestra pareja en forma libre y satisfactoria. Muchas de estas inhibiciones, trabas, existen desde el comienzo de nuestra vida sexual activa... La aparición de una enfermedad será, por decirlo de alguna manera, la punta del iceberg que nos llevará a replantearnos nuestra manera de vivir la sexualidad, de aceptarnos, de aceptar al otro, de aceptar nuestro cuerpo como fuente de placer, de darnos permiso para gozar...

El cáncer de mama, a pesar de que se presenta también en pacientes hombres, es considerado por el común de la gente como exclusivamente femenino. Pero, además, es el que más se presenta estadísticamente en las pacientes mujeres. Repercute en el cuerpo de la mujer y en su "sentirse" mujer. Es necesario entonces pensar un poco acerca de las características específicas de la sexualidad femenina y de cómo llega una persona a sentirse y reconocerse como mujer...

Son muchas las discusiones teóricas acerca de la "construcción" psicológica de la feminidad. No creo que sea el objeto de este libro incluir estas discusiones teóricas y tampoco creo que le resulte entretenido enterarse de todas estas discusiones entre psicoanalistas. Lo que sí me parece importante es que nos detengamos a pensar algunas cosas...

Venimos al mundo con un cuerpo biológico, con determinados órganos genitales, pero lo que realmente va a definir nuestra feminidad o masculinidad es la mirada de los otros, en especial de esos otros importantes para nosotros: nuestros padres y otros adultos que conforman nuestro entorno. Cuando nace un niño, varón, ¿qué es lo que dicen las vecinas? Y ¿qué dicen cuando nace una niña? Estos discursos externos son los que marcan el desarrollo y definen la vivencia que vamos a tener de nuestro cuerpo y de nuestra sexualidad. Éste sería el primer punto: la importancia de la intersubjetividad en la constitución de nuestro psiquismo; nuestra identidad sexual estará marcada más por el encuentro con otros que por la biología.

A esta conclusión llegó el endocrinólogo John Money cuando describió lo que denominó el sistema "sexo-género" para referirse al conjunto de factores genéticos, gonadales, hormonales, genitales, etc., que constituyen el sexo de cada individuo. Pero en sus estudios descubrió que un factor intersubjetivo, la asignación de género que realizan los otros sobre el infante, tiene incluso el poder de contrariar al resto de los determinantes.

Tanto varones como mujeres nacemos en un mundo donde lo social define nuestros roles y hasta el significado y valor que vamos a darle a nuestros cuerpos. Son nuestros padres, como representantes de ese mundo social, los que van a transmitir esos mensajes, a veces sin palabras pero otras veces como mandatos. Varones y mujeres somos construidos a partir de moldes preexistentes en nuestra cultura: "no corras que te hace mal", "no abras las piernas", "no saltes como un varón", "no grites", "parecés una machona", "las nenas no juegan con eso", "las nenas lindas no se enojan", "no hagas eso que te ponés fea". Podríamos seguir indefinidamente dando ejemplos de frases que escuchamos las mujeres desde que nacemos...

Por otro lado, existe otro tema interesante para considerar: nuestros padres nos educan como varones o mujeres guiados también por sus propios deseos e identificaciones. Ellos también crecieron inmersos en la cultura. No se trata de la misma manera a una niña que a un niño. Es decir que nuestro devenir como mujeres o varones es el resultado de un complejo proceso donde intervienen diferentes factores.

¿Suena complicado? Así es. Así somos los seres humanos, complicados... Pero eso es también lo que nos hace tan interesantes y entretenidos ¿O no?

Es así que la niña que llega al mundo se encuentra con claras distinciones entre femenino-masculino. ¿Qué sucede en la mente de la madre y el padre cuando tienen en brazos a su mujercita? ¿Qué estereotipos de feminidad futura se despiertan y se alimentan? ¿Cómo tiñe esa valoración inicial la relación que tendrán con ella?

En general lo que sucede es que la niña pronto descubre que para ser una mujer (por lo menos hasta cierta época, no muy lejana, del siglo XX) debe reprimir su sexualidad, mostrarse sumisa, pasiva, callada, brindarse por entero a los demás, no dedicarse a actividades relacionadas con el poder, con la inteligencia... Y, lo que es peor, piensa que su cuerpo no es "valioso" porque le "falta" algo. En algún momento de su desarrollo descubre que "no tiene eso" que tiene otro. Por otro lado, la represión de los adultos y sus críticas hacen que el descubrimiento de su propio cuerpo sea vivido con culpa. La vagina queda relegada al lugar de lo oculto, de lo misterioso y lo "sucio". Si su madre, con la que tiene el vínculo principal de amor, no es capaz de significar su vagina como algo valioso a partir de su diferencia, esta niña quedará fijada en la "falta" como algo que va a definir su identidad femenina. Y, por otro lado, si su padre no la mira como mujercita apreciable, esto también contribuirá a que se sienta poco valorada. Éstas son las bases de la famosa autoestima en la mujer.

Si a este panorama le agregamos que en su adolescencia crece bombardeada por imágenes donde la belleza, la delgadez, el tamaño de sus senos, los adornos, la ropa, lo estético en general pasa a ser el valor principal... no es difícil concluir que la esencia de su identidad como mujer pasa a ser la dependencia de la mirada de los otros. La necesidad de ser valorada y aceptada, el miedo a quedarse sola, el temor a no ser reconocida y considerada por sus atributos físicos se convierten en la problemática central en la vida de la mujer adulta y en la causa de muchas de sus enfermedades.

Los mensajes sociales contradictorios hacen que la sexualización del cuerpo en la mujer vaya acompañada de una condena y de la renuncia a la sexualidad placentera en general. Se presenta como un conflicto que genera tensión entre la necesidad de ser miradas, deseadas y al mismo tiempo la de alejarse del goce sexual. La furiosa represión de su sexualidad puede llevarla incluso a la inhibición de su capacidad intelectual, atacando su motivación para pensar, para preguntar y preguntarse.

Su crecimiento se da entonces dentro de un juego que oscila entre "mostrar" y "ocultar" partes de su cuerpo. La ocultación de su cuerpo se hace inevitable para evitar despertar el deseo. Castidad, pureza y cautela eran ideales en la educación de las niñas en el siglo XIX y aún persisten en amplios sectores culturales. Las "brujas" quemadas por la Inquisición se convierten posteriormente en las "histéricas" desvalorizadas por la sociedad.

Tampoco es de mucha ayuda la presencia de otros mitos que complican su sexualidad: el famoso "doble" orgasmo femenino, la envidia del pene, la frigidez típicamente "femenina". Y como la frutilla del postre... la maternidad. Desde muy pequeña la niña es educada y preparada para la maternidad. Su identificación con esa función determina el concepto de sí misma y su valor en la sociedad. Pero, ¿cómo compaginar ese mandato junto con la prohibición del deseo sexual? La maternidad queda entonces desposeída de un verdadero deseo, separada de la posibilidad del placer sexual...

En definitiva, la sexualidad femenina está marcada por la construcción histórico-social que define roles y funciones masculino/femenino. Lo que se permite a unos, se les prohíbe a otras. La manifestación del deseo sexual es algo valorado y esperado en los varones, pero subvaluado y criticado en la feminidad. La sexualidad confinada al ámbito de la pareja conyugal es un mandato dirigido especialmente a las mujeres. Desde el modelo tradicional el ser mujer-femenina implica actitudes de pasividad y postergación de la iniciativa sexual. Lo mismo ocurre con el conocimiento de la sexualidad: es algo censurado en el saber femenino. La búsqueda de placer sexual en las mujeres es considerada como una transgresión al modelo, y por lo tanto el desconocimiento del propio cuerpo, la prohibición de su exploración y descubrimiento continúan formando parte de la educación de niñas y adolescentes. Si bien muchos de estos mandatos están siendo cuestionados por las nuevas generaciones de varones y mujeres, siguen manteniendo todavía su vigencia en amplios sectores de nuestra cultura.

Y es dentro de este panorama de la sexualidad femenina donde aparece el cáncer como punta del iceberg que nos permite un replanteo de toda nuestra vida...

La sexualidad en el paciente con cáncer

Usted se preguntará... ¿cómo podemos hablar de sexualidad y cáncer? Pues bien, ése es exactamente el desafío: derribar los mitos en que todos nos escudamos a veces para mantener viejos tabúes y sostener prejuicios que arrastramos desde la infancia. La enfermedad no siempre constituye por sí misma un motivo para dejar de disfrutar de la intimidad y del contacto corporal. Debemos defender el derecho de nuestros pacientes a la gratificación sexual.

Es cierto que algunas alteraciones o disfunciones sexuales que aparecen en estos pacientes tienen que ver con alteraciones anatomo-fisiológicas, pero la mayoría de ellas tienen que ver con prejuicios, represión y fundamentalmente con falta de información o con la ausencia de un diálogo abierto por parte de los profesionales tratantes.

Todos los seres humanos, aun aquellos con alguna discapacidad o malformación, son capaces de elegir alguna forma de hacer el amor o de practicar alguna forma de intimidad... ¿Por qué no sería esto posible para el paciente con cáncer?

Sin embargo, es innegable que no es fácil retomar la vida sexual cuando se ha pasado por situaciones tan traumáticas como puede ser una mastectomía, la pérdida del cabello, vómitos, quemaduras, cansancio e incluso el impacto del diagnóstico mismo. Existen disfunciones o alteraciones que son absolutamente normales, esperables, y que podrán desaparecer con el tiempo y una correcta orientación por parte del médico. Si éstas perduran a lo largo del tiempo y una vez superados los tratamientos, deberá recurrirse a algún otro profesional del equipo.

¿Cuáles son estas modificaciones? En primer lugar, como hemos mencionado anteriormente, debemos reconocer diferentes momentos dentro de nuestra sexualidad. Éstos son: el deseo, el interés o la motivación, la excitación, el orgasmo y la satisfacción posterior.

Todos los tratamientos, desde la cirugía hasta la quimioterapia o la radioterapia, así como los tratamientos hormonales, pueden alterar el funcionamiento habitual en algunos o en todos esos aspectos. Muchas pacientes refieren falta de deseo, dificultades en la excitación, falta de orgasmo, dolor o ausencia de satisfacción posterior. Todas estas alteraciones son normales. Las causas tienen que ver con múltiples factores. Algunos son propios de los tratamientos, pero otros surgen de dificultades de la paciente y de su mundo de relación: todo aquello que describimos como mandatos que determinan una forma particular de vivir la sexualidad en las mujeres.

Por ejemplo, la reacción de la mujer ante la mastectomía depende, como ya dijimos, de su propia concepción de la feminidad y de la forma de vivir su sexualidad. Pero además influye la respuesta que ella percibe o imagina de su pareja (en caso de tenerla) y de la información que haya recibido de su médico o del equipo tratante. Cuando una mujer pide una "reconstrucción", deberíamos preguntarnos antes qué es lo que quiere "reconstruir".

Las disfunciones sexuales tienen que ver fundamentalmente con la alteración de la imagen corporal que esa persona tenía hasta ese momento. Descubrirse, re-conocerse nuevamente, es una tarea difícil y que implica tiempo. A veces es un largo proceso que necesita de diálogo y acompañamiento afectuoso más que de exigencias.

Es un buen momento, entonces, para replantearse algunos mitos acerca de la sexualidad "normal":

- ¿Siempre tiene que estar la mujer abajo?
- ¿Es necesario siempre tener orgasmo?
- ¿Hay una única manera de llegar al orgasmo?
- ¿Sólo los senos producen excitación?
- ¿Está mal masturbarse?
- ¿El sexo oral es para "atorrantas"?
- ¿El sexo anal es antinatural?
- ¿Es enfermo ser homosexual?
- ¿La única forma de tener sexo es con penetración?

Podríamos continuar enumerando rígidos conceptos relacionados con la sexualidad que lo único que hicieron fue lograr que perdiéramos nuestra capacidad de juego, de placer, de curiosidad, de descubrimiento de nuestro cuerpo y de nuevas formas de dar y recibir amor...

No existen fórmulas o recetas universales. Lo importante es revalorar la capacidad de vivir y disfrutar de cada momento como si fuera la última vez, rechazar lo que no nos gusta, elegir, dar prioridad a los afectos, a la ternura, descubrir qué es lo que queremos, a quién queremos, o buscar a alguien que nos quiera de verdad, a nosotras como seres completos, íntegros, no por algo que tenemos o que sobresale para ser mirado...

Es innegable que todos coincidimos, entonces, en que la sexualidad como expresión de los afectos constituye un tema fundamental en relación con el concepto de "calidad de vida", que contribuye al bienestar del paciente y que es por lo tanto un tema que debe ser abordado por el médico genuinamente interesado en considerar a su paciente como una unidad bio-psico-social.

Es importante aquí detenernos en un concepto que tiene que ver con cierta "vulnerabilidad" que todos poseemos para adquirir enfermedades. Nuestra vulnerabilidad somática, es decir, nuestra propensión a contraer enfermedades, se verá aumentada cuando las redes vinculares (familia, pareja, amigos, vecinos, etc.) sean pobres o constituyan un factor de estrés, y cuando la calidad de vida (bienestar) esté disminuida o no sea satisfactoria para la persona.

Si su sexualidad está afectada, esto repercutirá en su calidad de vida y en sus vínculos familiares. Es por eso que debe ser un tema abordado por el médico como un factor más que influye en la evolución de la enfermedad y en la respuesta a los tratamientos. Ocuparnos de la calidad de vida de nuestros pacientes es ocuparnos en definitiva de su salud.

Suponer que alcanza con indicar que se pueden retomar las relaciones sexuales es síntoma de ingenuidad y desconocimiento por parte del profesional tratante. Es imposible que el cáncer no traiga consigo una desadaptación afectiva y, por lo tanto, alteraciones o disfunciones en el área de la sexualidad. Sin embargo, éste es un tema difícil de abordar tanto para el médico como para el mismo paciente.

¿Que ocurre con los médicos? En general podemos decir que tanto la sexualidad como la muerte constituyen temas tabú en medicina: "De eso no se habla". La dificultad parte fundamentalmente de que existe poca formación en la profesión médica acerca de la investigación y el tratamiento de las disfunciones sexuales. Suele decirse que es un tema de la intimidad del paciente, que el paciente se muestra reticente a dar información sobre este tema, que muestra "vergüenza", que no hay "tiempo", etc. ¿Se incluyen preguntas acerca de la sexualidad en el interrogatorio clínico cuando registramos la historia de nuestros pacientes?

Puedo afirmar, a través de mi experiencia, que cuando hay una sólida relación médico-paciente, con una buena comunicación, cuando el médico puede mostrarse humano, contenedor y dispuesto a escuchar, toda incomodidad se ve aliviada y el paciente se dispondrá a un diálogo franco y abierto acerca de cualquier tema.

¿Qué hacer entonces?

1) Asumir que la sexualidad es un área importante de nuestra vida y que tiene relación directa con nuestro bienestar general.

2) Pensar acerca de ella con naturalidad. Empezar a hablar del tema, usando un lenguaje respetuoso y accesible.

3) Buscar información y formación.

4) Tener en cuenta que no es un tema de "uno solo", sino de una "pareja" que a su vez tiene una historia y un vínculo anterior a la enfermedad.

5) Respetar el tiempo de cada persona para hablar de estos temas, evitando actitudes "invasivas".

6) Preguntar, tratar de perder la vergüenza y preguntar... Quizás es el momento de averiguar acerca de todas aquellas cosas que nunca antes nos animamos a investigar...

7) Si el médico se muestra reticente a hablar de estos temas, buscar otros profesionales que nos ayuden.

Además, como dijimos previamente, lo "sexual" no es un hecho individual. Siempre es una de las formas de relacionarnos con "otro". Por ello, la actitud de la pareja y del entorno resulta muy importante y a veces decisiva en un trabajo de rehabilitación.

La relación de pareja es un tema fundamental que excede los límites de este capítulo. La situación y las conductas anteriores tienen gran influencia. En especial la comunicación, el diálogo que exista entre los integrantes. Muchas veces, la enfermedad, la palabra cáncer y los tratamientos que son necesarios ponen en evidencia y agudizan historias y comportamientos que ya existían desde antes en esa pareja. Generalmente las dificultades existían, pero la enfermedad las potencializa.

Es frecuente que se use la enfermedad como "beneficio" para rechazar la sexualidad o, por el contrario, que surja una actividad erótica mayor para intentar "esconder" sentimientos de ansiedad, depresión o temor a la desfiguración o a la muerte.

Una comunicación efectiva, un diálogo abierto y sincero (teniendo en cuenta tanto los aspectos verbales como los no verbales) mejorará el vínculo afectivo y, por ende, la sexualidad.

Quiero aclarar que no entendemos la sexualidad como un tema que tiene que ver sólo con lo genital específicamente, sino que la entendemos dentro de un área más amplia, el área de los afectos, y más aún dentro de lo que definimos como capacidad de sentir y dar placer...

Me gustaría retomar aquí las palabras de mi paciente... El cáncer puede ser una "oportunidad" para reflexionar acerca de muchas cuestiones de su vida. ¿Cuánto espacio le da al placer? ¿Cuánto espacio le da a la libertad? ¿Cuánto tiempo le dedica al amor? Muchas veces tenemos la puerta de la jaula abierta y no nos damos cuenta... ¿Nos animamos a volar?

22. Algunos testimonios

Mi idea al escribir estas líneas es presentar unos escasos testimonios de pacientes con cáncer de mama, tal vez con el fin de que las que están pasando por esta situación se den cuenta de que muchas de las cosas que les suceden son comunes a otras que pasaron por lo mismo, y que cada una enfrenta el tema como cree que será más conveniente para ella y su entorno, o simplemente como le sale...

Para mí es muy valioso conversar con mis pacientes, forma parte de mi aprendizaje diario y me resulta indispensable para poder entenderlas. Muchos de mis colegas no se animan a dar este paso, pero a mí me gratifica enormemente. No concibo la medicina si el profesional no se involucra con el paciente, si no trata de ir un poco más allá de la asepsia de los diagnósticos y tratamientos.

Pasé muchas horas entrevistando y grabando charlas con pacientes, sus maridos e hijos. Siempre saqué algo provechoso. Gran parte de ese aprendizaje está volcado en este libro y otra parte se refleja en la consulta médica.

A pesar de tener varios testimonios, nunca me había permitido mostrarlos. Por algún motivo, ahora pienso diferente.

Isabel
Estas líneas las escribió Isabel hace más de diez años. Desde entonces tuvo que pasar por situaciones familiares dificilísimas e impensadas. Sin embargo, allí está, siempre para adelante, dispuesta a vivir cada día, a pesar de todo.

"A veces la vida desea probar nuestra voluntad, el valor de la lucha y el honor de la batalla. Y es aquí donde se presenta la inestimable oportunidad de poder ver la propia existencia desde otro lugar.

La noticia tan temida, la palabra que nunca queremos escuchar fue pronunciada: cáncer de mama. Aquello que crees que no te va a suceder ("esas cosas" que sólo les suceden a los demás) estaba allí con toda su sentencia y determinismo. Fue una conmoción para mí y para toda mi gente. No figuraba en los planes de nadie.

A la mamografía le siguieron la biopsia, los interminables días vividos hasta que Patología tuviera la certeza. La vivencia de la tragedia, el naufragio y finalmente la sentencia: maligno, carcinoma ductal *in situ*, y mastectomía radical de mi nutricia mama derecha con la que amamanté a mis amados tres hijos. Todo esto junto, todo envasado en una mama.

De nada sirvieron los cuidados higiénico-dietéticos que prodigué con esmero y prolijidad a mi anatomía durante casi toda mi vida... Ejercicios, dieta equilibrada y balanceada, no al cigarrillo y la bebida. Estaba desarmada. Mi vulnerabilidad fue total. Un día estás bien y en unas horas todo cambia. Cambia tu cuerpo, tus prioridades, tus expectativas.

Una lacerante puñalada que hirió la base física de mi feminidad, mi sexo, mis mamas, mi aspecto. A ello se sumó la lucha personal y familiar contra la anorexia sexual y alimenticia. Las esquirlas de la bomba llegaban hasta lugares impensables. Me atormentaban las preguntas. ¿Quién querrá abrazar mi asimetría? ¿Quién besará mi espacio vacío?

Mi médico, mi marido, mis hijos y amigos entrañables y verdaderos fueron invalorables con su cuota diaria de motivación y optimismo. Visité por corto tiempo un grupo de terapia donde intercambiábamos sentimientos, emociones, abrazos, risas y llanto. Compartíamos la irracionalidad de esta enfermedad. Todos pertenecíamos al mismo club, una isla de encuentro íntimo y profundo donde poder mostrarse vulnerable. Compartir esta verdad es una necesidad, es una chance de supervivencia.

Vida, muerte, espiritualidad, paz y trascendencia fueron y son palabras que generaron profundas reflexiones y transformaciones en mí. Aprendí a ver la vida tal como es, un hecho, y a la muerte como parte de la vida. Debí pensar en la muerte e incluso casi hacerla mi amiga.

Tuve la absoluta posibilidad de fantasear y "vivir" mi propia muerte, nadie puede hacerlo por mí, ni conmigo. La percepción de la propia muerte cataliza una transformación personal con alto crecimiento espiritual y terapéutico.

Todo este primer año consistió en un trabajo diario personal de motivación, de no dejarme vencer ni abatir. Verme desnuda en el espejo y aceptar mis nuevas formas, mi nuevo aspecto y saber que el cáncer se cobró el precio de mi mama. Pero ya no está allí y a cambio te da la posibilidad de seguir...

Traté de modificar el dolor transformándolo en acción: medité, canté, volví de a poco a lo mío, a mi trabajo, mi deporte, mi música, mis amigos.

Sé ahora que la fuerza está dentro de mí, mi pronóstico fue siempre muy bueno. Reconstruí mi mama hace apenas unos meses gracias al consejo y guía de mi médico personal.

Sé también que tengo una lección bien aprendida. No es posible posponer la vida (ni un día antes, ni un día después). Ésta debe ser vivida ahora, no el fin de semana, durante las próximas vacaciones, cuando los chicos terminen el colegio...

He tenido la gran oportunidad del cáncer para comenzar a vivir plenamente, profundamente y en libertad. Ya no quiero "perderme" una emoción, un sentimiento, un abrazo, no quiero perderme nada. Vivir tan intensamente cada minuto como yo solamente decida que debo hacerlo. Debo aprender a hacerlo. Creo ser mejor y más sabia, vivo mejor ahora. Los demás no han cambiado para conmigo, los que han cambiado realmente son mis ojos.

Todo lo bueno que me sucedió y me sucede se lo debo a mi médico consecuente y comprometido que marcó el camino a seguir paso a paso, sin ocultamientos, sin falsas promesas, que me acompañó siempre, como un centinela de mi salud, hasta cuando me hicieron la cirugía reconstructiva. Confié ciegamente en él y seguiré haciéndolo. Me sentiría huérfana sin él. Ojalá muchas mujeres en mi situación encuentren lo que yo descubrí."

Anita

La experiencia de Ana es fabulosa, a veces rayana en la fantasía, pero absolutamente real. Creo que nos conocemos bastante bien, y puedo asegurar que el apoyo que recibió y recibe de su familia fue esencial. Sus hijas y su marido estuvieron y están allí, siempre a su lado, a pesar de todo. No quiero escribir nada más, solamente los dejo con el relato. Vale la pena.

"Parece mentira que ya hayan pasado cuatro años. Es increíble el poder y la fuerza interna que tenemos para transitar momentos difíciles. Siempre tuve un presentimiento de que algo así me podía suceder. Quizás porque mi madre tuvo cáncer de mama, con menos suerte que la mía.

En enero del 2001, mi hermano mayor me llama para decirme que una señora que él no conoce le mandó a decir, por una amiga que tienen en común, sólo esto: 'cuidado con esa chica'. Él me lo trasmite así, y me pregunta si estoy por hacer alguna operación importante de dinero o por concretar algún proyecto que me pueda salir mal. Le contesté con total seguridad que no se trataba de dinero. Ya hacía un tiempo que estaba intranquila, pero no le podía poner nombre a esa intranquilidad.

Sin duda alguna esa voz interior que me dijo que algo no andaba bien, me enseñó a que tenemos que escucharnos. No había nada aparente que me indicara que algo sucedía, pero en marzo, cuando volví de las vacaciones, llamé a mi promotora del seguro de vida y le pedí que aumentara mi seguro, ya que me sentía amenazada. No sabía por qué o por quién; en ese momento lo asocié con la inseguridad que se vivía por los robos, secuestros, etcétera. Pero en realidad lo que pasó fue que casualmente en un partido de *paddle* una pelota fue directo a pegarme en el lugar en que hoy estoy operada. (¿Se podría decir que alguien del más allá te está ayudando? No lo sé.) Una semana después, me palpé (el golpe no había sido nada importante) como usualmente lo hacía para ver cómo estaba la zona y encontré algo. Yo sabía que antes no estaba.

Cómo o por qué suceden las cosas no lo sé, pero yo sentía que alguien me estaba ayudando y lo sigo pensando. Tuve mucha suerte. Me siento agradecida con mis médicos, incondicionales aliados. Si el resto de los profesionales entendieran que ese apretón de manos en el momento justo te puede cambiar la vida o por lo menos darte ese aliento que te hace vivir con más alivio una crisis tan difícil, todo podría mejorar.

Mi esposo, hijas, familia, amigas y amigos estuvieron ahí para sostenerme y les estaré siempre agradecida, ya que me enseñaron que si me dejo caer ellos estarán ahí para hacer el aguante.

Me olvidé de ser la más fuerte y ahora me gusta también sentirme débil, no quiero sentirme que lo puedo todo.

Fui a todas las terapias posibles, pero admito que los seres queridos son irreemplazables. Compartir el ascenso al Cerro Teta fue una de las experiencias más maravillosas de fortaleza y coraje que pude vivir. Siento que esta experiencia tan fuerte me abrió el corazón, me enseñó a hablar, a llorar, a no guardar rencor ni ese abrazo o ese llamado que dejamos para mañana, ese 'te quiero' que no decimos, ese 'te extraño' que es tan lindo.

En fin, me siento mejor persona, más sensible, más comunicativa, más peleadora, más Yo. Y me siento feliz. Gracias a todos por hacerlo más fácil. Anita."

Edith

A Edith la conocí en un congreso de pacientes con cáncer de mama en 2004. Me llamó la atención su trabajo y dedicación. Ella se animó a escribir su testimonio, que tal vez no sea el relato ideal esperado por todos. Sin embargo nos enseña mucho: corroborar que no existe un único camino, ni tampoco el sendero perfecto. Cada uno transcurre como puede y de la manera que cree conveniente, y no necesariamente lo que los médicos recomendamos es lo adecuado para todas las personas.

"Algunos comentarios, después de 7 años: Indudablemente, hay un antes y un después. Este mensaje para mis colegas de dolencias, más allá de ser algo doloroso y triste, quiere ser un testimonio de lo que se puede lograr cuando se está dispuesto a pelear. Pero en mi caso con algo un tanto curioso.

A medida que avanzaba en las consultas médicas, el pronóstico iba empeorando, hasta que llegó el diagnóstico final: 'tenía CÁNCER'.

Durante todo este peregrinar, me sentía en un *ring* (de boxeo), pues cada vez que recibía un nuevo resultado era como una trompada. Pegaba con mi espalda en una de las cuerdas, de allí pasaba a la cuerda del frente, en donde recibía otra trompada. La sensación no era de pegar contra una pared, pues al topar con ella habría caído. En el *ring* no se cae, sino que se rebota continuamente para recibir otro y otro golpe.

En aquellos momentos, los tratamientos cayeron sobre mí, pues nunca los decidí conscientemente. Hice todo lo indicado por los médicos, pero en ningún momento me detuve a pensar y a tomar decisiones al respecto. Así fue que hice quimioterapia, rayos, análisis, terapia psicológica, etcétera, etcétera.

Al principio no mencionaba la palabra "cáncer" y decía "esto que tengo", hasta que una psicóloga de manera poco didáctica, pero muy contundente, me dijo: "lo que usted tiene es cáncer". A pesar de la dureza, lo rescato pues comencé a tutear a quien sería, desde allí y por bastante tiempo, mi compañera incondicional, la que no me dejaría ni a sol ni a sombra.

Durante la quimioterapia, las sensaciones que sentía cuando la droga ingresaba a mi cuerpo eran de incertidumbre, pues no estaba preparada, y creo que nadie lo está, para saber si ese "veneno" para las células malignas provocaría también daño en las benignas. Sentía miedo, pero no sabía bien a qué le temía. Recuerdo que la última aplicación era en enero y yo no quería seguir el tratamiento en el nuevo año, necesitaba un año nuevo con vida nueva. Pero mi oncólogo, hablándome en mi propio idioma, me dijo: "No contadora, aquí no se negrea nada". Pero esta parte del tratamiento era más terrenal que la de los rayos; allí, la aparatología y las precauciones que deben tenerse por lo nocivos que son hacían que estuviera sola al recibirlos, pero me conectaban indefectiblemente con mi padre que, desde el más allá, me acompañaba en todas las sesiones.

Terminaron los tratamientos inmediatos y recién allí empezó todo. ¿Por qué? Porque empezaron a mostrarse los verdaderos cambios, no los del cuerpo, sino los del alma (para algunos) o interiores (para otros). Aparecen miles de preguntas y a veces pocas respuestas.

Respuestas que hoy, si tengo que ser totalmente sincera, no surgieron de los tratamientos psicológicos a pesar de haber creído hasta hace muy poco que así había sido. Esto no significa que no me ayudaron, pero tampoco fueron el abecé, ya que luego de dejar cada una de las tres etapas con distintos profesionales el malestar continuaba y era cada vez peor.

El problema era una insatisfacción total, no sabía con respecto a qué ni por qué, pero junto con esto había que pasar cinco años, sí, cinco años, acompañada de tamoxifeno, la droga que daría por terminado el trámite del pasaporte a la vida.

Y éste es mi MENSAJE: me perdí cinco años esperando, y cuando pasaron me di cuenta de que mentalmente taché uno por uno los días de mi vida. Durante esos cinco años, creo que estuve en mi propia cárcel. Durante ese tiempo tuve dos picos altísimos de depresión, lo peor que le puede ocurrir a una persona. Cuán grande es el desconocimiento de quien te dice: 'pero salí, buscá un lugar divertido', etcétera. Pero si ésta es la enfermedad de la voluntad, no se tiene ánimo para NADA.

Y es aquí donde comienza el verdadera tratamiento de nuestra parte. Aquí fui yo la que decidió hacer el tratamiento de la doctora Edith. Fue buscar muy dentro de mí por qué me castigué, qué era lo que no me conformaba. Y hoy, parece mentira pero estoy descubriendo, por ejemplo, que los mandatos que recibí no condicen con mi naturaleza, con mi esencia, con mi yo.

Hoy no creo en los tratamientos tradicionales y alternativos, sino en los complementarios. En esta cena, nadie puede faltar, pero ninguno es imprescindible.

No olviden acudir al ginecólogo, mastólogo, oncólogo, bioquímico, anatomopatólogo, psicólogo, pero sobre todo no olviden acudir a vuestro interior, que es el único gran doctor. Hoy, 10 de abril de 2005, Edith."

Marita

Marita me llegó "de rebote". Vino derivada por otro profesional. Al principio parecía una persona sumisa, golpeada, pero que no se quejaba. Aceptó todos los tratamientos y los cumplió a pies juntillas.

Con el tiempo, empezaron los cambios. Rompió con algunas ataduras, se abrió muchísimo más, participó activamente en todas las propuestas que hicimos, y hoy la veo muy sólida, confiada, con muchísima "polenta".

Aprovecho este relato para mostrar un hecho permanentemente reiterado: antes de la aparición del cáncer, la enferma ha atravesado alguna circunstancia muy dolorosa, como la muerte de algún ser querido, separación, pérdida de trabajo, en fin, algo "shockeante" para ella.

"En mi vida muchas cosas cambiaron, hubo un antes y un después a partir de la impactante noticia de 'que tenía cáncer de mama'. En ese instante me pasaron muchas cosas por la cabeza, no muy buenas. Hacía dos meses que había fallecido mi madre y yo estaba recién separada, pero de alguna manera y con una fuerza interna que no conocía en mí, traté de poner en orden mi cabeza, pedí ayuda psicológica e hice los tratamientos correspondientes (quimioterapia y rayos). Apenas me sentía bien, volvía al trabajo para tener mi cabeza ocupada.

Cuando terminé con el tratamiento empecé a ocuparme más de mí: hice cursos, volví a estudiar, a realizar caminatas, a practicar yoga y gimnasia, a disfrutar de mi entorno. Todas esas cosas que me hacían sentir bien.

Ya pasaron cinco años y llegué a la conclusión de que, a pesar del dolor, se puede salir adelante, no sólo con la contención que recibí por parte de mi psicóloga, mi médico, familiares y amigas, sino también por... ¡¡¡¡mis ganas de seguir viva!!!!

Ascenso por la vida (www.ascensoporlavida.com.ar)

En diciembre de 2003 la vida nos regaló una experiencia fabulosa: subir al Cerro Teta. Un grupo de mujeres con cáncer de mama de San Martín de los Andes nos invitó a compartir la alegría de una actividad física que, simbólicamente, nos mostraba la paradoja del diagnóstico y tratamiento reflejada en lo duro del ascenso y la plenitud física y espiritual al llegar y concluir con esa difícil travesía. Paradoja de la vida que nunca se olvida, y que nos obliga a vivir cada día con plena alegría.

Tan fuerte fue la experiencia que decidimos repetirla cada año en la última semana de octubre, el mes internacionalmente elegido para recalcar la necesidad de la prevención del cáncer de mama.

A lo largo de mis 22 años de ejercicio de la profesión, participé en muchos diagnósticos y tratamientos, pero este ascenso fue sin ninguna duda uno de los actos médicos más trascendentales de mi vida.

Siempre voy a estar agradecido de haber podido estar allí. Fue una actividad que voy a repetir, ya que aun hoy, bastante tiempo después, sigo enriqueciéndome con esa experiencia.

Las chicas que participaron me mandaron algunos mensajitos al regreso, los que transcribo a continuación. Al final agrego mi propio relato. Tal vez tenga ganas de leerlo.

Liliana

Liliana es columnista del noticiero de Canal 13 de Buenos Aires, y concurrió esa primera vez en carácter de tal. Hoy, es nuestra compañera incondicional de Ascenso... tanto en nuestros viajes como en otras actividades.

"Recuerdo perfectamente el ruido de los motores del avión que nos llevaba a San Martín de los Andes.

No sé si hacia frío o calor (era diciembre), pero sé cómo me sentía. Esa mezcla de curiosidad y emoción, el desafío físico del ascenso al cerro y el emocional, compartir con un grupo que no conocía todavía, pero sabía que... lo unía el cáncer.

Habíamos sorteado los primeros obstáculos: permiso y presupuesto. Adrián Pomito y yo, camarógrafo y periodista, un varón, una mujer y una tarea... contar de la mejor manera esa experiencia que estábamos a punto de vivir.

Sólo conocía al doctor Soto por teléfono y fue su entusiasmo (su pasión) lo que más me conmovió y me convenció. Pero... ¿quién era? Los tiempos televisivos son así, rápidos, vertiginosos y urgentes, todo para ayer. Así, con ese ritmo, se decidió este viaje y no tuve demasiado tiempo para investigar quién era él y de qué se trataba esta experiencia.

Sensibilidad y olfato periodístico nos habían llevado a Karen Emery (productora del noticiero) y a mí a entusiasmar a todos en la redacción. Ese 'speedy' interno empezó a cambiar ni bien bajamos del avión, en el sur se respira otro aire. Nos recibió 'el grupo Buenos Aires': Graciela, Marita, Ana, Nora. 'Las chicas del doctor Soto' atravesaban cada una a su manera el mismo proceso 'diagnóstico: cáncer de mama'.

Trabajé como psicóloga durante un corto tiempo con mujeres con cáncer, así que sabía que no me iba a encontrar con 'víctimas' de la enfermedad. Conozco su coraje.

Todos sabemos que vamos hacia la muerte, pero a cada una de ellas el diagnóstico les arrancó la palabra del futuro y la puso en el living de su casa... o en la cama.

Sin embargo, el objetivo es vivir. No digo 'no morir', digo vivir, honrar la vida, y fueron hasta allí, como dijo Graciela, para llenarse los pulmones de aire... y de vida.

Mientras Nora decía que todas ellas tenían un mensaje que transmitir, que la vida debe cambiar, que hay que ayudar y sobre todo dejarse ayudar, Marita servía los fideos con tuco y Guillermo se hacía cargo del vino.

La vida se mostraba mezclada en esa cabaña, y podíamos pasar de la emoción, y por supuesto alguna lágrima, a las carcajadas y los chistes. Igual que cada día, sólo que ese día todas estábamos más conscientes.

Las experiencias intensas producen una aceleración en la intensidad de los vínculos que construyen (o destruyen). Y allí estábamos, extraños y sin embargo sellando un pacto de intimidad y afecto, que sería, por lo menos para mí, el sostén de la experiencia.

Estábamos más tranquilos porque el doctor era lo que parecía por teléfono y las chicas nos habían recibido con afecto (y con comida caliente) a Pomito, a mí. Con la cámara fuimos a conocer al resto y a grabar la reunión explicativa y la clase de yoga.

Me siento mejor en pequeños grupos, me gusta recordar los nombres y los gestos, y eso es imposible entre multitudes. Así que cuando entré a ese salón que me pareció enorme y vi a toda esa gente, pensé que no iba a poder e inmediatamente sentí que si ellas podían yo no les podía fallar.

Miraba ese grupo heterogéneo y multitudinario, familias, parejas, mujeres solas. Todas las edades estaban representadas. Salvo en aquellas que lucían pañuelos para cubrir su cabeza pelada, era imposible saber quiénes estaban o estuvieron enfermas y quiénes acompañaban.

Otra jugarreta traviesa de la vida, lágrimas y risas, salud y enfermedad; intentamos vanamente separar estas cosas para tranquilizarnos; sin embargo, en el gran cubilete todos los dados están juntos.

Algunas, como Nora, sabían que no iban a subir; otras harían sólo un tramo (hasta donde llegaran) y la gran mayoría quería llegar al pezón del Cerro Teta.

A la clase de yoga se sumaron también algunos varones, poniendo el cuerpo con toda seriedad al asunto, aunque a veces nos cruzábamos sonrisas de 'hacemos lo que podemos' cuando el cuerpo se mostraba menos flexible que lo que la profe pedía.

Las organizadoras se mostraban sólidas y emocionadas, anfitrionas con ganas. Para ellas no era la primera vez, así que como hermanas mayores se dedicaron a transmitir serenidad y consejos prácticos. Y por último, la charla de los guías.

Ya sabíamos todo: dónde iban a estar los coches, qué comer y cuándo, y que cada cual debía seguir a su ritmo ya que no era una competencia. Lo que no sabíamos todavía era... cuál era el ritmo de cada uno.

¿Y si no eran las piernas sino el corazón lo que estaba puesto allí? Sé que sonaría absurdo decir que el ascenso fue, en todo caso, lo menos importante. Pero así fue. Recuerdo la cinta de largada, la bandera desplegada que decía 'valoricemos la vida' y un enorme grupo de personas avanzando. Teníamos el día por delante, queríamos la vida por delante.

Adrián avanzaba con la cámara al hombro y siempre hubo alguien que le dio una mano, que se ocupó del trípode y la mochila. Nos mirábamos buscando las imágenes que él y yo veíamos, pero que queríamos que todo el mundo viera.

Creo fuertemente en la energía sanadora de los grupos, en la potencia que da el estar acompañándose, con un objetivo en común. Creo que en el gesto de la mano abierta está la llave que nos permite respirar de verdad, profundamente. Y eso era lo que sucedía, teníamos las manos abiertas y cada quien se ocupaba de sí y del otro.

¿Quiénes estaban entonces enfermas? ¿Quiénes cursaban la quimioterapia? ¿Quiénes tenían, o tendrían después de ese viaje, el cuerpo mutilado? En el esfuerzo de subir y llegar, en la alegría de los guantes compartidos, en la taquicardia, todas éramos iguales.

Las miraba y me preguntaba: 'si me pasara a mí, ¿tendría esas ganas?, ¿esa alegría?'. Miraba a los chicos y pensaba, ¿cómo procesarán esta experiencia? Sin embargo había poco margen para estos u otros pensamientos. Había que seguir caminando. Mezcla de orgullo, rebeldía y homenaje, no dejé que el tembleque de las piernas me venciera.

Guillermo fue nuestro ayudante de cámara, feliz como un niño; atento a 'sus chicas' y a la consigna de 'La Vida es Más Fuerte', repartía barritas energéticas allí donde veía que alguien (yo, por ejemplo) estaba a punto de aflojar. Y qué bueno, por fin, el chocolate caliente; para entonces, mirar hacia abajo daba vértigo.

Es enorme la sensación de poner el cuerpo y vencer obstáculos. Esa era la metáfora: nadie era andinista, escalador, todos queríamos vencer obstáculos, y ¿quién no tiene obstáculos que vencer?

Me senté en el pezón, miré alrededor, y sé que es un lugar común, pero ¡qué chiquita en medio de tamaña naturaleza, y qué grandes todas ellas!

Grabamos el copete y comenzamos el descenso. Para muchas, Dios estaba allí. A todas las acompañaba una certeza: si pudimos con esto, podremos con todo lo demás.

Hay preguntas más difíciles que otras. ¿Cómo hablar de sexo con estas mujeres y sus hombres, sin ofenderlas, sin exponer su intimidad? Teresita y Jorge contestaron con naturalidad. El decía: 'el dolor es infinito frente a este diagnóstico y el miedo que provoca. Entonces decidí tomarle la mano y no soltarla más. En cada quimio, cada tratamiento, cada consulta que Teresita tuvo que hacer, estábamos de la mano. La vida se reaprende: hacía malabares, llevaba a los chicos a la escuela, me ocupaba de las compras. También el sexo se reaprende. Ella es la mujer que amo con o sin sus tetas. La clave es amarla'. Conocí a otras mujeres que no tuvieron esa mirada de amor y deseo, así que miro a esta pareja con admiración. Nadie construye ese vínculo sin esfuerzo. Nos miramos a los ojos. Ella sólo dice: 'a veces, no sé de dónde salen las fuerzas'. Se miran, se toman las manos, se besan. Apagá la cámara, Adrián, este momento es de ellos.

Merecemos descansar, una buena cena y esta sensación indescriptible. Sí, la misión del periodista es informar, pero también investigar y denunciar. Sabía, porque lo viví de cerca con pacientes, amigas y entrevistadas, que hay temas sórdidos, oscuros en los sistemas de salud: ni prevención ni promoción, gran negocio para pocos.

La entrega de medicamentos y la reconstrucción de la mama con adecuada provisión de prótesis en tiempo y forma, es decir, ¡AHORA!, es una asignatura pendiente, como tantas otras. Pero ese era también el lugar para hablar del tema. Muchas de esas mujeres habían sufrido o sufrirían la extirpación de la mama y las obras sociales no cubren la reconstrucción aduciendo que eso es 'cirugía estética'.

La reconstrucción de la mama es un derecho, y es una obligación del PMO proveer las prótesis. Muchas mujeres no lo saben y lo primero que dicen los auditores es 'no'.

Otra vez la vida en el cubilete. De la emoción y el orgullo, al enojo. ¿No es suficiente estar enferma? ¿Además hay que pelear con el sistema?

Si toda la energía hay que ponerla en seguir adelante, en sacar fuerzas de no sé dónde, en sostener a la pareja o a los hijos, si los hay. Además, ¿hay que explicar lo obvio? Que los derechos no se discuten y que en esta sociedad donde el emblema de la felicidad es el éxito, el dinero y la juventud, una mujer sin una mama o sin ambas es mirada y se mira con dolor y tristeza, pero también con humillación y vergüenza, obligada a deserotizarse, a desertar, a excluirse del juego de la seducción.

También me pregunté si esa fuerza que "las-nos" unió en San Martín de los Andes sería suficiente para generar un grupo que se embandere y exija sus derechos, a voz en cuello, como cuando cantaban en la camioneta que nos conducía a la base del cerro. La respuesta es NO, todavía.

Cierro los ojos, veo a ese grupo cansado y feliz con las cintas rosas desplegadas al viento, como una señal al cielo, pero también a la tierra. Cerro Teta = Cerro Vida, Liliana.

PD: Una vez más, confirmé que las heroínas no sólo están en el bronce, están entre nosotras. Sólo necesitamos abrir los ojos para ver mejor y entender que no hay nada más bello y que requiera más coraje que la furia de vivir, con o sin cáncer. Gracias."

Ana María

"Hola doc. Despues de compartir estos días juntos, nada es igual. Transitamos un largo camino de transformaciones –¿más?–, proyectos y sueños. Nos enriquecimos no sólo ante el desafío, sino que todo lo vivido nos acarició el alma. Te quiero decir gracias doc, tu idea fue maravillosa, te quiero mucho.

Estoy muy emocionada por la tarea cumplida, pero lo más importante fue la tarea interna, la que no se ve, la de adentro nuestro, que no es fácil de mostrar. Y creo que cada una de nosotras, según su estilo, pudo ver lo que lleva y lo que no quiere llevar. El afecto profundo, la afinidad y complicidad fueron la causa de nuestro éxito. Me siento feliz de formar parte de este grupo. Chicas, las quiero mucho. Sabemos que podemos contar con la otra de por vida, en cualquier momento. Les mando un abrazo. A. M."

Marita

"Tal vez el viento tan intenso de San Martín de los Andes me hizo estar cada vez más sensible y 'llorona', porque leía tu mail y se me llenaban los ojos de lágrimas. Fue muy fuerte todo lo que vivimos, no solamente la subida al Cerro Teta, sino lo que nos pasó a cada una de nosotras al compartir nuestras amarguras y alegrías, además de divertirnos mucho con las pequeñas y grandes anécdotas de cada una y con los demás. En todo sentido fue una experiencia maravillosa para alimentar nuestras almas de cosas positivas.

Siento que tuve la oportunidad de compartir y conocer a tres personas maravillosas con grandes valores humanos... ¡¡NO CAMBIEN NUNCA!!

Con mucho cariño les mando un beso enorme y seguimos en contacto."

Nora

"Gracias por la propuesta. Por lo que pudimos descubrir en este compartir experiencias, emociones, dejar aflorar los sentimientos y conocer a gente maravillosa. Gracias por todo lo que motivó esta propuesta: modificar algunos hábitos, encontrar el tiempo para hacer cosas distintas, como ocuparse de uno mismo y ser solidario con otros.

Ver que con un estímulo tan poderoso se puede lograr superar muchas barreras. Hasta los miedos que a veces están ocultos. Gracias por compartir, colaborar, observar y seguir adelante.

Creo que fue una experiencia cuyos ecos van a resonar por mucho tiempo. A nivel individual, de nuestro grupo y de los otros.

En lo personal, les cuento que no puedo desprenderme del tema; lo tengo muy presente y lo comparto con los que se me crucen en el camino.

Creo que en nuestro grupo quedan ganas de compartir muchas cosas. Propongo inicialmente continuar con las caminatas de los sábados, tal vez en Belgrano para ser más equidistante.

Con los otros grupos seguramente mantendremos contacto porque compartimos lo principal. Hubo muy buena disposición para colaborar y ayudar por parte de todos."

Graciela

"Queridas chicas, queridas amigas:

Ya estamos de vuelta, cada una con su familia, con su trabajo, con su vida. Tantos meses pensando y preparándonos para subir al Teta. Lo hicimos, lo logramos. Fue una gran satisfacción, una gran experiencia. Pero más increíble aún fue lo que nos ocurrió a cada una de nosotras internamente y a las cuatro en conjunto. Fue una convivencia perfecta, la posibilidad de conocernos las unas a las otras y de que se creara un lazo muy pero muy fuerte que perdurará en el tiempo.

Creo que para las cuatro fueron momentos de profunda emoción, de sentimientos a flor de piel, de ojos húmedos, de lágrimas que chisporroteaban por ahí, de confidencias, de conocimiento, de entendimiento.

Qué desafío subir un cerro, ponerle el pecho al viento, al frío, a la altura que al principio parece que no te dejara respirar. Mirar a tu alrededor y ver que ahí están todos, todos en lo mismo, realizando esto que soñamos durante tantos meses. Se puede. No bajamos los brazos. Llegamos a la cima y fue una bendición de Dios. El frío en la cara, el chocolate caliente, los abrazos, la naturaleza toda. Estábamos en la cima del Teta. Lo logramos, se puede. Siempre se puede, con voluntad, con fe, con esfuerzo, siempre mirando adelante, todo se puede lograr: vencer una enfermedad, un contratiempo. Porque la vida es maravillosa y hay que vivirla con todo.

Chicas están incorporadas a mi vida. Las quiero mucho, gracias por ser como son... Graciela."

Mi relato

"Contra todos los pronósticos, el día amaneció soleado, algo ventoso y con algunas nubes dispersas.

Poco a poco nos íbamos reuniendo en el punto de partida. Si mirábamos para atrás, el valle con el lago Lácar de un verde esmeralda daba marco a la ciudad con sus trazados geométricos, sus brillos y sus colores. Un poco más allá y el amarillo de las retamas manchaba el verde y ocre de la montaña y, a lo lejos, el imponente Lanín se esforzaba por asomarse sobre su cortejo de nubes.

Los guías de montaña nos dieron las últimas instrucciones y nos trazaron el camino.

Cada uno tenía su mochila cargada con ansiedad, miedo, fortaleza, coraje, incertidumbre. Lentamente nos pusimos detrás de la cuerda rosa sostenida entre dos cañas que simbolizaría la puerta de entrada al fantástico viaje.

Caminamos por la verde pradera que hasta no hace mucho estaba cubierta de nieve y esquiadores. El bosque enmarcaba nuestro sendero. A medida que marchábamos se nos hacía más difícil; la fila de caminantes se fue alargando y la intensidad del esfuerzo dibujó algunas sombras de duda en las caras de los menos experimentados, quienes disimulamos de la mejor manera posible. Por suerte, no mucho más arriba, el camino se aplanaba y todos pudimos llenar nuestros pulmones de aire y aprovechar para recuperarnos un poco.

Luego, la senda pegadita a la empalizada que contiene la nieve en invierno, del más transitable pedregullo de roca partida vigente durante siglos... y bien para arriba. La pericia de los guías, la ayuda permanente de los cadetes de bomberos dispuestos a dar una mano y los médicos que recorrían la hilera nos hacían sentir protegidos. Éste fue el tramo más difícil, la fila de caminantes se había alargado tanto que desde la punta parecía una oruga multicolor moviéndose lenta pero constantemente, y algunas manchitas allá a lo lejos señalaban a los más rezagados.

Llegamos a los primeros manchones de nieve, el viento soplaba con ganas y la temperatura había bajado mucho, pero allí estaba, invitándonos a su regazo, el pezón que marca la cumbre del Cerro Teta. Ya faltaba poco, un playón de piedras, otro de nieve y luego, sí, el grito de algarabía que se escuchó desde la base, las lágrimas, los abrazos, las banderas desplegadas, cintas rosas al viento y un glorioso chocolate caliente.

Algo difícil de olvidar, emocionante, que seguramente dejó en cada uno la semilla de la esperanza, del orgullo, la sensación de romper la frontera del límite supuesto, de saber, como decían las chicas antes de subir, que... ¡SE PUEDE!

Gracias a todos los voluntarios que nos hicieron el camino más sencillo y, especialmente, a aquellas que no pudieron hacer cumbre pero nos enseñaron la senda con su solidaridad y espíritu de entrega."

APÉNDICE 1

Algunas recetas sanas y con soja

Datos para tener en cuenta

La idea es ofrecer una miniguía con algunas recetas sabrosas pero, como comprenderá, de usted depende buscar nuevas, hacer ensayos, mezclas, innovaciones (en definitiva, divertirse mientras cocina). No deje de hacer lindas presentaciones, use verduras de distintos colores que dan más vista (y son más saludables).

Para una buena preparación de los porotos de soja es fundamental dejarlos en remojo durante una noche, y hervirlos entre tres horas y media a cuatro.

La mejor combinación de soja con cereales en una misma preparación permite el mejor aprovechamiento proteico (por ejemplo, soja con germen de trigo).

Cómo preparar leche de soja sin sabor a poroto

Se hace un remojo rápido a alta temperatura (entre 100° y 80°) de la siguiente manera: hervir agua en una olla, sacarla del fuego y colocar la soja durante 40 minutos.

- Luego se muelen en la procesadora o en la licuadora con un poco de bicarbonato (una pizca por kilo de soja), cuatro partes de agua por una de soja remojada.

- Hervir el líquido obtenido durante 30 minutos (agregar el agua que se evapora).

- Filtrar con un lienzo.

Se puede saborizar con vainilla, miel y frutas.

PANCITOS DE SOJA (por Adriana Puppo)
Ingredientes:
Harina de soja: 2 tazas

Harina integral fina: 1 taza
Harina blanca: 1 taza
Levadura de cerveza: 1 cucharadita
Extracto de malta: 1 cucharadita
Leche tibia: 1 taza
Miel: 1 cucharadita
Sal
Agua tibia

Preparación:
Disolver la levadura y la miel en agua tibia. Disolver en la leche el extracto de malta y la sal. Tamizar las harinas y disponerlas en forma de corona. Colocar la levadura y la leche en el centro y comenzar a incorporar hasta formar un bollo (agregar más agua si es necesario). Amasar hasta obtener una textura lisa. Dejar que leude 30 minutos. Volver a amasar y formar pancitos con las manos húmedas, colocarlos sobre una placa aceitada. Dejar que leuden 30 minutos. Cocinar en horno suave. Enfriar sobre rejilla.

MILANESAS DE SOJA CON HARINA (Por Adriana Puppo)
Ingredientes:
Harina de soja: 1 kg
Harina aglutinada: 1/4 kg
Germen de trigo: 100 g
Provenzal (perejil y ajo): 150 g
Sal y pimienta a gusto

Preparación:
Mezclar todos los ingredientes, agregar agua tibia hasta formar una masa, formar un rollo y envolverlo en papel film. Colocarlo dentro de una cacerola con agua hirviendo durante 1 hora. Dejarlo enfriar, cortar las milanesas, pasarlas por huevo y pan rallado. Freírlas vuelta y vuelta hasta que se doren.

SOPA DE BRÓCOLI Y PAPA (por Bárbara Ostrovsky)
Ingredientes:
Brócoli con tallo y hojas: 2 atados
Papas peladas: 400 g

Cebolla picada: 200 g
Verdeo: 100 g
Blanco de puerro: 100 g
Aceite de oliva: 4 cucharadas
Hoja de laurel: 1
Cáscara de lima
Semillas de coriandro: 1/2 cucharadita (opcional)
Caldo de verduras: 1,5 litros
Sal y pimienta

Preparación:
Cocinar la cebolla, el verdeo y el puerro en aceite no muy caliente y en una cacerola alta hasta que estén transparentes. Agregar la cáscara de lima, el coriandro machacado, la papa en cubos y los tallos y hojas del brócoli picados.

Salpimentar y cubrir con caldo. Dejar cocinar a fuego lento por 45 minutos. Licuar y agregar las flores del brócoli, previamente cocidas al vapor y al dente.

BUDÍN DE SOJA Y TRES VERDES, CON TOMATES ASADOS Y ENSALADA FRESCA (por Bárbara Ostrovsky)

Ingredientes para 8-10 personas:
Porotos de soja cocidos: 2 tazas
Arroz integral cocido: 1 taza
Ricota descremada: 3 cucharadas
Huevos: 2
Cebolla y puerro rehogados: 3 cucharadas
Arvejas frescas cocidas: 200 g
Brócoli cocido: 200 g
Acelga cocida: una taza
Nuez moscada
Tomates peritas: 1/2 kilo
Tomillo: 2 cucharadas
Aceite de oliva: 1 cucharada
Ajo: un diente
Sal y pimienta
Rúcula: 2 atados (o reemplazar por lechuga)

Preparación:
Procesar los porotos con el arroz tibio hasta unificar la preparación. Mezclar la cebolla, puerro, ricota y huevos. Condimentar con sal, pimienta y nuez moscada y dividir en tres. Incorporar a cada preparación las distintas verduras.

Verter en un molde aceitado por capas, y cocinar en el horno a baño de María por 40 minutos o hasta que insertando un palillo salga limpio.

Para los tomates: cortarlos en cuatro, condimentarlos con sal, pimienta, tomillo y aceite de oliva. Colocarlos en una asadera y llevarlos al horno fuerte por 15 minutos.

Servir con ensalada.

MILHOJAS DE MANZANAS CON SALSA DE FRUTILLAS (por Bárbara Ostrovsky)
Ingredientes:
Manzanas verdes: 2 kg
Azúcar: 150 g
Jugo de naranjas: 200 cc
Frutillas: 250 gr
Jugo de limón: 1 cucharada
Miel: 1 cucharada

Preparación:
Cortar las manzanas en rodajas finas. Enmantecar un molde de budín inglés e intercalar rodajas de manzana con azúcar y jugo de naranjas, presionando cada vez.

Tapar con papel de aluminio y cocinar en horno muy bajo durante una hora y media. Dejar reposar y enfriar por una noche. Servir con una salsa de frutillas.

PAN DE SOJA Y SEMILLAS (por Bárbara Ostrovsky)
Ingredientes para 8 personas:
Harina 0000: 400 g
Harina integral fina: 150 g
Harina de soja: 150 g
Sal: 15 g
Azúcar: 15 g
Semillas de sésamo o lino: 30 g
Levadura de cerveza fresca: 40 g
Aceite de maíz: 100 cc

Agua tibia: 300 cc
Miel: 1 cucharada

Preparación:
Mezclar las harinas y las semillas con la sal y el azúcar. Hacer un hueco, incorporar la miel, el aceite y de a poco el agua más la levadura. Amasar durante 10 minutos.

Dejar leudar hasta que duplique su volumen. Desgasificar, formar los pancitos y poner en una placa enmantecada. Dejar leudar nuevamente por 15 minutos y llevar a un horno de 200 grados por 12 a 15 minutos.

ENSALADA CON BROTES DE SOJA
Ingredientes para 3-4 personas:
Brotes de soja: 150 g
Zanahorias: 200 g
Manzanas verdes: 300 g
Queso descremado (o yogur natural): 150 g
Rúcula (o escarola o lechuga): 100 g
Sal, pimienta, ajo picado

Preparación:
Lavar varias veces los brotes de soja con agua fría y escurrirlos. Rallar las zanahorias. Pelar las manzanas y cortarlas en pedacitos chiquitos. Lavar la rúcula.

Poner todo en un bol, y agregar el queso descremado. Sazonar a gusto.

ESPINACA CON CROSTONES. Plato familiar
Ingredientes para 2-3 personas:
Espinaca: 2 paquetes (o uno de acelga)
Cebollas: 3
Ají (rojo o amarillo): 1
Ajo: 1
Champiñones: 100 g
Pan integral: 4 rodajas
Aceite de oliva: 2 cucharadas
Sal, pimienta

Preparación:

Cortar las cebollas y ponerlas a dorar en aceite, luego agregar el ají cortado en bastones y los champiñones. Salpimentar.

Lavar la espinaca y agregarla a la sartén, tapar y dejar al fuego dos minutos, revolviendo la preparación un par de veces.

Poner en una placa los panes cortados en cubos, rociarlos con un poco de aceite de oliva, y espolvorearlos con especias a gusto (romero, tomillo, orégano, ajo, etc.). Cuando están dorados, retirarlos.

Servir la ensalada con los crostones.

PESCADO PRIMAVERA (por Adriana Puppo)
Ingredientes para 2 personas:
Filetes de merluza (brótola, gatuso): 4
Zanahorias: 2
Cebollas: 2
Ají: 1
Apio: 1
Brotes de soja: 100 g
Semillas de sésamo: 2 cucharadas
Queso blanco: 100 g
Caldo de verduras: 1 taza
Sal, pimienta

Preparación:

Cortar y salar las verduras en juliana.

En una fuente para horno, armar un colchón con la mitad de las verduras. Colocar los filetes salpimentados. Agregar por encima las verduras restantes.

Mezclar el queso blanco y el caldo con las semillas de sésamo, verter por sobre la preparación.

Cocinar en horno caliente durante 15 minutos.

PESCADO AGRIDULCE
Ingredientes para 2 personas:
Filetes de pescado: 4
Cebolla: 1

Aceite de oliva: 2 cucharadas
Curry: 1 cucharada
Vino blanco: 1/2 vaso
Manzanas verdes: 2
Sal y pimienta

Preparación:
Picar la cebolla y rehogarla en el aceite. Agregar el curry y las manzanas cortadas en dados. Cocinar cinco minutos. Agregar el pescado y el vino blanco. Dejar a fuego moderado por 10 minutos.

FLAN DE SOJA Y MANZANA
Ingredientes:
Huevos: 4
Leche de soja: 1/2 litro
Azúcar: 150 g
Manzanas: 2
Esencia de vainilla: 1 cucharadita
Azúcar para caramelo: 1 cucharada

Preparación:
Pelar las manzanas, preparar una compota con muy poco agua, añadir la vainilla, hacer un puré. Hervir durante 5 minutos la leche y el azúcar, retirar y cuando esté tibia agregar los huevos ligeramente batidos, el puré de manzanas, mezclar bien, volcar sobre una budinera acaramelada. Cocinar a baño de María durante 50 minutos. Cuando esté frío desmoldar y decorar con merengue o crema.

GALLETAS DE SOJA
Ingredientes:
Harina de soja: 500 g
Harina 000: 500 g
Levadura: 30 g
Manteca: 80 g
Esencia de vainilla: 1 cucharada

Preparación:

Diluir la levadura con el agua dentro de un bol, agregar la esencia de vainilla y la manteca blanda. Incorporar las harinas y formar un bollo, amasar, cubrir y dejar descansar 15 minutos. Estirar, espolvorear con harina ooo y doblar por la mitad. Volver a estirar y repetir el paso anterior 7 veces más. Cubrir y dejar reposar 30 minutos. Estirar la masa fina, cortar con el molde deseado y colocar sobre placas engrasadas. Dejar levar, pinchar y hornear a temperatura baja para secar bien.

Nota: La harina de soja hace que esta galleta tome color muy rápidamente dentro del horno, por lo tanto es necesario que la temperatura de éste no sea muy alta para lograr una correcta cocción.

ENSALADA DE SOJA CON MANZANA
Ingredientes para 2 personas:

Porotos de soja: 1 taza
Apio: 1 taza
Manzana verde: 1
Mayonesa: 1 cucharada
Jugo de limón: 1 cucharada
Arroz blanco o integral cocido: 1 taza

Preparación:

Remojar los porotos toda la noche y hervirlos durante tres horas.

Cortar las manzanas en daditos, rociar con limón, picar el apio y mezclar con los demás ingredientes. Servir sobre hojas de lechuga.

APÉNDICE 2

Direcciones útiles

En este apéndice, encontrará algunas direcciones, teléfonos y páginas web que podrá consultar. Lamentablemente, la mayoría de las páginas de información para los pacientes están en inglés, aunque algunos sitios de entidades estadounidenses tienen páginas en español.

- APOVILO: almasueltas@hotmail.com
- ASCENSO POR LA VIDA: ascensoporlavida@yahoo.com.ar
- Página del doctor Pedro Politti y equipo, en español: www.cancerteam.tripod.com
- Completísima base de datos y publicaciones en Internet, en inglés: www.ncbi.nlm.nih.gov/PubMed/
- Asociación Médica Argentina: www.ama-med.com
- Sociedad Argentina de Mastología: www.samas.org.ar
- Sociedad Argentina de Sexualidad Humana: www.sasharg.com.ar
- Páginas sobre el cáncer, en inglés: www.cancer.org y www.stopcancer.org
- Página sobre el cáncer, en inglés y en español: www.cancer.gov/cancerinfo
- National Breast Cancer Fundation, en inglés y español: www.nationalbreastcancer.org
- National Cancer Institute, en inglés y español: www.cancerweb.ncl.ac.uk/cancernet
- American Cancer Society, en inglés y español: www.cancer.org
- Breast Cancer Action, en inglés y español: www.bcaction.org/Pages/GetInformed/SaberEsPoder.html
- American Society of Breast Desease, en Inglés: www.asbd.org
- Breast Cancer Society of Canada, en inglés: www.bcsc.ca
- American Society of Clinical Oncology, en inglés: www.asco.org
- Sitio que reúne a la Academia de Medicina de Nueva York y la Biblioteca Pública, en inglés y español: www.noah-halth.org

La presente edición, cuya tirada consta
de 3.000 ejemplares, se terminó de
imprimir en los talleres gráficos Grafinor S.A.,
lamadrid 1576, Villa Ballesterr, provincia de
Buenos Aires, durante el mes de mayo de 2006.